La peau de cha

Honoré de Balzac est né à Tours en 1799 et mort à Paris en 1850. En sortant du collège des oratoriens de Vendôme, Balzac vient à Paris. Ses débuts y sont tumultueux, pleins de tâtonnements et d'efforts en sens divers. Il écrit plusieurs volumes sous divers pseudonymes ou en collaboration, tous des échecs.

Découragé par la littérature, il se fait éditeur et imprimeur. Mais ces entreprises ne lui réussissent pas davantage.

Il revient à la littérature et signe à 30 ans *Le dernier Chouan,* son premier chef-d'œuvre. Viennent ensuite la *Phsyiologie du mariage,* plusieurs nouvelles et *La peau de chagrin* dont le succès est complet.

A partir de ce moment, grâce à un travail acharné, sa production littéraire est d'une régularité étonnante. Il travaille dix-huit heures par jour, se dérobe aux visites, se terre dans l'un de ses trois ou quatre domiciles parisiens, mais se mêle aux vies de ceux qu'il veut connaître.

De 1830 à 1850, il écrit en déployant une énergie stupéfiante, plusieurs dizaines de romans et nouvelles. Toute son époque y est dépeinte et l'ensemble de son œuvre, sa grandiose Comédie humaine, est certainement l'un des monuments de son siècle.

Janet-Lange (1815-1872) est né et mort à Paris. Entré aux Beaux-Arts de Paris en 1883, il y fut l'élève d'Ingres et d'Horace Vernet. En 1846, il fut chargé par le maréchal Soult, alors président du Conseil, de peindre une série d'uniformes militaires. Il produisit aussi quelques lithographies de tendance bonapartiste et s'esseya à la caricature vers 1849.

Janet-Lange illustra La peau de chagrin en 1838 pour l'éditeur Furne.

© *1982, l'école des loisirs, Paris*
Maquette et composition : Sereg, Paris
Loi n° 49.956 du 16 juillet 1949 sur les publications
destinées à la jeunesse : Avril 1982
Dépôt légal : Juin 1985
Imprimé en France par Aubin, Poitiers

Honoré de Balzac

La peau de chagrin

roman
abrégé par Bernard Noël
illustrations par Janet-Lange

Les classiques abrégés
de l'école des loisirs
11, rue de Sèvres, Paris 6e

Le talisman

Vers la fin du mois d'octobre dernier, un jeune homme entra dans le Palais-Royal au moment où les maisons de jeu s'ouvraient. Sans trop hésiter, il monta l'escalier du tripot désigné sous le nom de Numéro 36.

– Monsieur, votre chapeau, s'il vous plaît? lui cria d'une voix sèche et grondeuse un petit vieillard blême, accroupi dans l'ombre, protégé par une barricade.

Quand vous entrez dans une maison de jeu, la loi commence par vous dépouiller de votre chapeau. Est-ce une parabole évangélique et providentielle? N'est-ce pas plutôt une manière de conclure un contrat infernal avec vous en exigeant je ne sais quel gage?

L'étonnement manifesté par le jeune homme en recevant une fiche numérotée en échange de son chapeau, dont heureusement les bords étaient légèrement pelés, indiquait assez une âme encore innocente.

Au moment où le jeune homme entra dans le salon, quelques joueurs s'y trouvaient déjà. Chose inouïe! tous en voyant l'inconnu éprouvèrent je ne sais quel sentiment épouvantable. Ne faut-il pas être bien malheureux pour obtenir de la pitié, bien faible pour exciter une sympathie, ou d'un bien sinistre aspect pour faire frissonner les âmes dans cette salle où les douleurs doivent être muettes, où la misère est gaie, et le désespoir décent?

Au premier coup d'œil les joueurs lurent sur le visage du novice quelque horrible mystère, ses jeunes traits étaient empreints d'une grâce nébuleuse, son regard attestait des efforts trahis, mille espérances trompées! La morne impassibilité du suicide donnait à ce front une pâleur mate et maladive, un sourire amer dessinait de légers plis dans les coins de la bouche, et la physionomie exprimait une résignation qui faisait mal à voir.

Le jeune homme se présentait là comme un ange sans rayons, égaré dans sa route. Il marcha droit à la table, s'y tint debout, jeta sans calcul sur le tapis une pièce d'or qu'il avait à la main, et qui roula sur Noir ; puis, comme les âmes fortes, abhorrant les chicanières incertitudes, il lança sur le tailleur un regard tout à la fois turbulent et calme.

Le tailleur étala les cartes, et sembla souhaiter bonne chance au dernier venu, indifférent qu'il était à la perte ou au gain fait par les entrepreneurs de ces sombres plaisirs. Chacun des spectateurs voulut voir un drame et la dernière scène d'une vie dans le sort de cette pièce d'or; leurs yeux arrêtés sur les cartons fatidiques étincelèrent; mais, malgré l'attention avec laquelle ils regardèrent alternativement et le jeune homme et les cartes, ils ne purent apercevoir aucun symptôme d'émotion sur sa figure froide et résignée. – «Rouge, pair, passe», dit officiellement le tailleur. Quant au jeune homme, il ne comprit sa ruine qu'au moment où le râteau s'allongea pour ramasser son dernier napoléon. Il ferma les yeux doucement, ses lèvres blanchirent; mais il releva bientôt ses paupières, sa bouche reprit une rougeur de corail, et il disparut sans mendier une consolation par un de ces regards déchirants que les joueurs au désespoir lancent assez souvent sur la galerie.

Le jeune homme passait sans réclamer son chapeau; mais le vieux molosse, ayant remarqué le mauvais état de cette guenille, la lui rendit sans proférer une parole; le joueur restitua la fiche par un mouvement machinal, et descendit les escaliers en sifflant.

Il se trouva bientôt sous les galeries du Palais-Royal, alla jusqu'à la rue Saint-Honoré, prit le chemin des Tuileries et traversa le jardin d'un pas indécis. Il marchait comme au milieu d'un désert, coudoyé par des hommes qu'il ne voyait pas, n'écoutant à travers les clameurs populaires qu'une seule voix, celle de la mort.

Il s'achemina vers le pont Royal. Arrivé au point culminant de la voûte, il regarda l'eau d'un air sinistre.

– Mauvais temps pour se noyer, lui dit en riant une vieille femme vêtue de haillons. Est-elle sale et froide, la Seine!

Il répondit par un sourire plein de naïveté qui attestait

le délire de son courage. Une mort en plein jour lui parut ignoble, il résolut de mourir pendant la nuit, et se dirigea vers le quai Voltaire en prenant la démarche indolente d'un désœuvré qui veut tuer le temps.

Il marcha d'un pas mélancolique le long des magasins, en examinant sans beaucoup d'intérêt les échantillons des marchandises. Il se dirigea vers un magasin d'antiquités dans l'intention d'y attendre la nuit en marchandant des objets d'art. La conscience de sa prochaine mort rendit pour un moment au jeune homme l'assurance, et il entra d'un air dégagé.

Au premier coup d'œil, les magasins lui offrirent un tableau confus, dans lequel toutes les œuvres humaines et divines se heurtaient. Des crocodiles, des singes, des boas empaillés souriaient à des vitraux d'église, semblaient vouloir mordre des bustes, courir après des laques, ou grimper sur des lustres. Un vase de Sèvres, où madame Jacotot avait peint Napoléon, se trouvait auprès d'un sphinx dédié à Sésostris. Le commencement du monde et les événements d'hier se mariaient avec une grotesque bonhomie. Un tournebroche était posé sur un ostensoir, un sabre républicain sur une jacquebute du Moyen-Age. Les instruments de mort, poignards, pistolets curieux, armes à secret, étaient jetés pêle-mêle avec des instruments de vie: soupières en porcelaine, assiettes de Saxe, tasses diaphanes venues de Chine, salières antiques, drageoirs féodaux. Tous les pays de la terre semblaient avoir apporté là quelque débris de leurs sciences, un échantillon de leurs arts.

En montant l'escalier intérieur qui conduisait aux salles situées au premier étage, le jeune homme vit des boucliers votifs, des panoplies, des tabernacles sculptés, des figures en bois pendues aux murs, posées sur chaque marche. Poursuivi par les formes les plus étranges, par des créations merveilleuses assises sur les confins de la mort et de la vie, il marchait dans les enchantements d'un songe. Quand il entra dans les nouveaux magasins, le jour commençait à pâlir ; mais la lumière semblait inutile aux richesses resplendissant d'or et d'argent qui s'y trouvaient entassées.

– Vous avez des millions ici, s'écria le jeune homme en arrivant à la pièce qui terminait une immense enfilade d'appartements dorés et sculptés par des artistes du siècle dernier.

– Dites des milliards, répondit un gros garçon joufflu commis à la garde. Mais ce n'est rien encore, montez au troisième étage, et vous verrez !

L'inconnu suivit son conducteur et parvint à une quatrième galerie où successivement passèrent devant ses yeux fatigués plusieurs tableaux du Poussin, une sublime statue de Michel-Ange, quelques ravissants paysages de Claude Lorrain, des Rembrandt, des Murillo, des Velasquez sombres et colorés comme un poème de lord Byron ; puis des bas-reliefs antiques, des coupes d'agate, des onyx merveilleux ! Enfin c'était des travaux à dégoûter du travail, des chefs-d'œuvre accumulés à faire prendre en haine les arts et à tuer l'enthousiasme. Il arriva devant une vierge de Raphaël, mais il était las de Raphaël. Une figure de Corrège qui voulait un regard ne l'obtint même pas.

– Que contient cette boîte ? demanda-t-il en arrivant à un grand cabinet, dernier monceau de gloire, d'efforts humains, d'originalités, de richesses parmi lesquelles il montra du doigt une grande caisse carrée construite en acajou, suspendue à un clou par une chaîne d'argent.

– Ah! Monsieur en a la clef, dit le gros garçon avec un air de mystère. Si vous désirez voir ce portrait, je me hasarderai volontiers à prévenir Monsieur.

– Vous hasarder! reprit le jeune homme. Votre maître est-il un prince?

– Mais, je ne sais pas, répondit le garçon.

Ils se regardèrent pendant un moment aussi étonnés l'un que l'autre. Après avoir interprété le silence de l'inconnu comme un souhait, l'apprenti le laissa seul dans le cabinet.

Les merveilles dont l'aspect venait de présenter au jeune homme toute la création connue mirent dans son âme l'abattement que produit chez le philosophe la vue scientifique des créations inconnues, il souhaita plus vivement que jamais de mourir, et tomba sur une chaise curule en laissant errer ses regards à travers les fantasmagories de ce panorama du passé. Une lueur en quittant le ciel fit reluire un dernier reflet rouge en luttant contre la nuit : l'heure de mourir était subitement venue. Il s'écoula, dès ce moment, un certain laps de temps pendant lequel il n'eut aucune perception claire des choses terrestres, soit qu'il se fût enseveli dans une rêverie profonde, soit qu'il eût cédé à la somnolence provoquée par ses fatigues et par la multitude des pensées qui lui déchiraient le cœur. Tout à coup il crut avoir été appelé par une voix terrible, et il tressaillit comme lorsqu'au milieu d'un brûlant cauchemar nous sommes précipités d'un seul bond dans les profondeurs d'un abîme. Il ferma les yeux, les rayons d'une vive lumière l'éblouissaient ; il voyait briller au sein des ténèbres une sphère rougeâtre dont le centre était occupé par un petit vieillard qui se tenait debout et dirigeait sur lui la clarté de la lampe. Il ne l'avait entendu ni venir, ni parler, ni se mouvoir. Cette apparition eut quelque chose de magique. L'homme le plus intrépide, surpris ainsi dans son sommeil, aurait sans doute tremblé devant ce personnage qui semblait être sorti d'un sarcophage voisin.

Figurez-vous un petit vieillard sec et maigre, vêtu d'une robe en velours noir, serrée autour de ses reins par un gros cordon de soie. Sur la tête, une calotte en velours également noir laissait passer de chaque côté de la figure, les longues mèches de ses cheveux blancs. La robe ensevelissait le corps comme dans un vaste linceul, et ne permettait de voir d'autre forme humaine qu'un visage étroit et pâle. Une finesse d'inquisiteur trahie par les sinuosités de ses rides et par les plis circulaires dessinés sur ses tempes, accusait une science profonde des choses de la vie. Il était impossible de tromper cet homme qui semblait avoir le don de surprendre les pensées au fond des cœurs les plus discrets. Le vieillard se tenait debout, immobile, inébranlable comme une étoile au milieu d'un nuage de lumière. Ses yeux verts, pleins de je ne sais quelle malice calme, semblaient éclairer le monde moral comme sa lampe illuminait ce cabinet mystérieux.

– Monsieur désire voir le portrait de Jésus-Christ peint par Raphaël? lui dit courtoisement le vieillard d'une voix dont la sonorité claire et brève avait quelque chose de métallique.

Et il posa la lampe sur le fût d'une colonne brisée, de manière à ce que la boîte brune reçût toute la clarté.

Aux noms religieux de Jésus-Christ et de Raphaël, il échappa au jeune homme un geste de curiosité, sans doute attendu par le marchand qui fit jouer un ressort. Soudain le panneau d'acajou glissa dans une rainure, tomba sans bruit et livra la toile à l'admiration de l'inconnu. A l'aspect de cette immortelle création, il oublia les fantaisies du magasin, les caprices de son sommeil, redevint homme, reconnut dans le vieillard une créature de chair, bien vivante, nullement fantasmagorique, et revécut dans le monde réel. La tendre sollicitude, la douce sérénité du divin visage influèrent aussitôt sur lui. Cette peinture inspirait une prière, recommandait le pardon, étouffait l'égoïsme, réveillait toutes les vertus endormies. Le prestige de la lumière agissait encore sur cette merveille ; par moments il semblait que la tête s'agitât dans le lointain, au sein de quelque nuage.

– J'ai couvert cette toile de pièces d'or, dit froidement le marchand.

– Eh ! bien, il va falloir mourir, s'écria le jeune homme qui sortait d'une rêverie dont la dernière pensée l'avait ramené vers sa faible destinée.

– Ah ! ah ! j'avais donc raison de me méfier de toi, répondit le vieillard en saisissant les deux mains du jeune homme qu'il serra par les poignets dans l'une des siennes, comme dans un étau.

L'inconnu sourit tristement de cette méprise et dit d'une voix douce : – Hé ! monsieur, ne craignez rien, il s'agit de ma vie et non de la vôtre. Pourquoi n'avouerais-je pas une innocente supercherie, reprit-il après avoir regardé le vieillard inquiet. En attendant la nuit, afin de pouvoir me noyer sans esclandre, je suis venu voir vos richesses. Qui ne pardonnerait ce dernier plaisir à un homme de science et de poésie !

Le soupçonneux marchand examina d'un œil sagace le morne visage de son faux chaland tout en l'écoutant parler. Rassuré bientôt par l'accent de cette voix douloureuse, il lâcha les mains.

– Ne cherchez pas le principe de ma mort dans les

raisons vulgaires qui commandent la plupart des suicides. Pour me dispenser de vous dévoiler des souffrances inouïes, je vous dirai que je suis dans la plus profonde, la plus ignoble, la plus perçante de toutes les misères. Et, ajouta-t-il d'un ton de voix dont la fierté sauvage démentait ses paroles précédentes, je ne veux mendier ni secours ni consolations.

– Eh! eh! Ces deux syllabes que d'abord le vieillard fit entendre pour toute réponse ressemblèrent au cri d'une crécelle. Puis il reprit ainsi: – Sans vous forcer à m'implorer, sans vous faire rougir, et sans vous donner un centime de France, un parat du Levant, un tarain de Sicile, un heller d'Allemagne, un copec de Russie, sans vous offrir quoi que ce soit en or, argent, billon, papier, billet, je veux vous faire le plus riche, plus puissant et plus considéré que ne peut l'être un roi constitutionnel.

Le jeune homme crut le vieillard en enfance, et resta comme engourdi, sans oser répondre.

– Retournez-vous, dit le marchand en saisissant tout à coup la lampe pour en diriger la lumière sur le mur qui faisait face au portrait, et regardez cette Peau de chagrin.

Le jeune homme se leva brusquement et témoigna quelque surprise en apercevant au-dessus du siège où il s'était assis un morceau de *chagrin* accroché sur le mur, et dont la dimension n'excédait pas celle d'une peau de renard; mais, par un phénomène inexplicable au premier abord, cette peau projetait au sein de la profonde obscurité qui régnait dans le magasin des rayons si lumineux que vous eussiez dit d'une petite comète. Les grains noirs du chagrin étaient si soigneusement polis et si bien brunis que, pareilles à des facettes de grenat, les aspérités de ce cuir oriental formaient autant de petits foyers qui réfléchissaient vivement la lumière. Le jeune homme retourna promptement la Peau comme un enfant pressé de connaître les secrets de son jouet nouveau.

— Ah! ah! s'écria-t-il, voici l'empreinte du sceau que les Orientaux nomment le cachet de Salomon.

— Puisque vous êtes un orientaliste, reprit le vieillard, peut-être lirez-vous cette sentence?

Il apporta la lampe près du talisman que le jeune homme tenait à l'envers, et lui fit apercevoir des caractères incrustés dans le tissu cellulaire de cette Peau merveilleuse, comme s'ils eussent été produits par l'animal auquel elle avait jadis appartenu.

– J'avoue, s'écria l'inconnu, que je ne devine guère le procédé dont on se sera servi pour graver si profondément ces lettres dans la peau d'un onagre.

Et, se tournant avec vivacité vers les tables chargées de curiosités, ses yeux parurent y chercher quelque chose.

– Que voulez-vous ? demanda le vieillard.

– Un instrument pour trancher le chagrin, afin de voir si les lettres y sont empreintes ou incrustées.

Le vieillard présenta un stylet à l'inconnu, qui le prit et tenta d'entamer la Peau ; mais, quand il eut enlevé une légère couche de cuir, les lettres y reparurent si nettes et tellement conformes à celles qui étaient imprimées sur la surface, que, pendant un moment, il crut n'en avoir rien ôté.

– L'industrie du Levant a des secrets qui lui sont réellement particuliers, dit-il en regardant la sentence orientale avec une sorte d'inquiétude.

– Oui, répondit le vieillard, il vaut mieux s'en prendre aux hommes qu'à Dieu !

Les paroles mystérieuses étaient disposées de la manière suivante :

لو ملكتني ملكت الكل
و لكن حمرك ملكى
واراد الله هكذا
اطلب و ستنال مطالبك
و لكن قسن مطالبك على حمرك
وهى هاهنا
فدكل سامك ستنزل ايامك
اتريد فى
الله مجيبك
آمن

Ce qui voulait dire en français :

> Si tu me possèdes, tu posséderas tout,
> mais ta vie m'appartiendra. Dieu l'a
> voulu ainsi. Désire, et tes désirs
> seront accomplis. Mais règle
> tes souhaits sur ta vie.
> Elle est là. A chaque
> vouloir je décroîtrai
> comme tes jours.
> Me veux-tu ?
> Prends. Dieu
> t'exaucera
> soit !

– Ah ! vous lisez couramment le sanscrit, dit le vieillard. Peut-être avez-vous voyagé en Perse ou dans le Bengale ?

– Non, monsieur, répondit le jeune homme en tâtant avec curiosité cette Peau symbolique, assez semblable à une feuille de métal pour son peu de flexibilité.

Le vieux marchand remit la lampe sur la colonne où il l'avait prise, en lançant au jeune homme un regard empreint d'une froide ironie qui semblait dire : Il ne pense déjà plus à mourir.

– Est-ce une plaisanterie, est-ce un mystère ? demanda le jeune inconnu.

Le vieillard hocha la tête et dit gravement : – Je ne saurais vous répondre. J'ai offert le terrible pouvoir que donne ce talisman à des hommes doués de plus d'énergie que vous me paraissez en avoir ; mais, tout en se moquant de la problématique influence qu'il devait exercer sur leurs destinées futures, aucun n'a voulu se risquer à conclure ce contrat si fatalement proposé par je ne sais quelle puissance. Je pense comme eux, j'ai douté, je me suis abstenu, et...

– Et vous n'avez pas même essayé? dit le jeune homme en l'interrompant.

– Essayer! dit le vieillard. Si vous étiez sur la colonne de la place Vendôme, essaieriez-vous de vous jeter dans les airs? Peut-on arrêter le cours de la vie? L'homme a-t-il jamais pu scinder la mort? Avant d'entrer dans ce cabinet, vous aviez résolu de vous suicider; mais tout à coup un secret vous occupe et vous distrait de mourir. Ecoutez-moi. J'ai vu la cour licencieuse du régent. Comme vous, j'étais alors dans la misère, j'ai mendié mon pain; néanmoins j'ai atteint l'âge de cent deux ans, et je suis devenu millionnaire: le malheur m'a donné la fortune, l'ignorance m'a instruit. Je vais vous révéler en peu de mots un grand mystère de la vie humaine. L'homme s'épuise par deux actes instinctivement accomplis qui tarissent les sources de son existence. Deux verbes expriment toutes les formes que prennent ces deux causes de mort: Vouloir et pouvoir. Entre ces deux termes de l'action humaine, il est une autre formule dont s'emparent les sages, et je lui dois le bonheur de ma longévité. *Vouloir* nous brûle et *Pouvoir* nous détruit; mais *Savoir* laisse notre faible organisation dans un perpétuel état de calme. Ainsi le désir ou le vouloir est mort en moi, tué par la pensée; le mouvement ou le pouvoir s'est résolu par le jeu naturel de mes organes. En deux mots, j'ai placé ma vie, non dans le cœur qui se brise, nons dans les sens qui s'émoussent; mais dans le cerveau qui ne s'use pas et qui survit à tout. Le mot de Sagesse ne vient-il pas de savoir? Et qu'est-ce que la folie, sinon l'excès d'un vouloir ou d'un pouvoir?

– Eh! bien, oui, je veux vivre avec excès, dit l'inconnu en saisissant la Peau de chagrin.

– Jeune homme, prenez garde, s'écria le vieillard avec une incroyable vivacité.

– J'avais résolu ma vie par l'étude et par la pensée; mais elles ne m'ont même pas nourri, répliqua l'inconnu. Je ne veux être la dupe ni de votre amulette orientale, ni des charitables efforts que vous faites, monsieur, pour me retenir dans un monde où mon existence est désormais impossible. Voyons! ajouta-t-il en serrant le talisman d'une main convulsive et regardant le vieillard. Je veux un dîner royalement splendide, quelque bacchanale digne du siècle où tout s'est, dit-on, perfectionné! Que mes convives soient jeunes, spirituels et sans préjugés, joyeux jusqu'à la folie! Que les vins se succèdent, que cette nuit soit parée de femmes ardentes!

Un éclat de rire, parti de la bouche du petit vieillard, retentit dans les oreilles du jeune fou comme un bruissement de l'enfer, et l'interdit si despotiquement qu'il se tut.

– Croyez-vous, dit le marchand, que mes planchers vont s'ouvrir tout à coup pour donner passage à des tables somptueusement servies et à des convives de l'autre monde. Non, non, jeune étourdi. Vous avez signé le pacte, tout est dit. Maintenant vos volontés seront scrupuleusement satisfaites, mais aux dépens de votre vie. Le cercle de vos jours, figuré par cette Peau, se resserrera suivant la force et le nombre de vos souhaits, depuis le plus léger jusqu'au plus exorbitant. Le bramine auquel je dois ce talisman m'a expliqué jadis qu'il s'opérerait un mystérieux accord entre les destinées et les souhaits du possesseur. Après tout, vous vouliez mourir? Eh! bien, votre suicide n'est que retardé.

– Je verrai bien, monsieur, si ma fortune changera pendant le temps que je vais mettre à franchir la largeur du quai. Mais, si vous ne vous moquez pas d'un malheureux, je désire, pour me venger d'un si fatal service, que vous tombiez amoureux d'une danseuse! Vous comprendrez alors le bonheur d'une débauche, et peut-être deviendrez-vous prodigue de tous les biens que vous avez si philosophiquement ménagés.

Il sortit sans entendre un grand soupir que poussa le vieillard, traversa les salles et descendit les escaliers de cette maison: il courait avec la prestesse d'un voleur pris en flagrant délit. En s'élançant de la porte du magasin sur la chaussée, il heurta trois jeunes gens qui se tenaient bras dessus bras dessous.

– Animal!

– Imbécile!

Telles furent les gracieuses interpellations qu'ils échangèrent.

– Eh! c'est Raphaël.

– Ah! bien, nous te cherchions.

– Quoi! c'est vous?

Ces trois phrases amicales succédèrent à l'injure aussitôt que la clarté d'un réverbère balancé par le vent frappa les visages de ce groupe étonné.

– Mon cher ami, dit à Raphaël le jeune homme qu'il avait failli renverser, tu vas venir avec nous.

– De quoi s'agit-il donc?

– Avance toujours, je te conterai l'affaire en marchant.

De force ou de bonne volonté, Raphaël fut entouré de ses amis, qui, l'ayant enchaîné par les bras dans leur joyeuse bande, l'entraînèrent vers le Pont-des-Arts.

– Mon cher, dit l'orateur en continuant, nous sommes à ta poursuite depuis une semaine environ. A ton respectable hôtel Saint-Quantin, ta léonarde nous a dit que tu étais parti pour la campagne. N'importe ! Rastignac t'avait aperçu la veille aux Bouffons, nous avons repris courage, et nous avons mis de l'amour-propre à fouiller tout ce qu'il y a dans Paris de bons et de mauvaix lieux, et, ma parole d'honneur, nous te regrettions.

En ce moment, Raphaël passait avec ses amis sur le Pont-des-Arts, d'où, sans les écouter, il regardait la Seine dont les eaux mugissantes répétaient les lumières de Paris. Au-dessus de ce fleuve, dans lequel il voulait se précipiter naguère, les prédictions du vieillard étaient accomplies, l'heure de sa mort se trouvait déjà fatalement retardée.

– Et nous te regrettions vraiment ! dit son ami poursuivant toujours sa thèse. Il s'agit d'une combinaison dans laquelle nous te comprenions en ta qualité d'homme supérieur. Le gouvernement, c'est-à-dire l'aristocratie de banquiers et d'avocats, qui font aujourd'hui de la patrie comme les prêtres faisaient jadis de la monarchie, a senti la nécessité de mystifier le bon peuple de France avec des mots nouveaux et de vieilles idées. En un mot, un journal armé de deux ou trois cents bons mille francs vient d'être fondé dans le but de faire une proposition qui contente les mécontents, sans nuire au gouvernement. Or, comme nous nous moquons de la liberté autant que du despotisme, de la religion aussi bien que de l'incrédulité, nous avons entrepris de badigeonner l'esprit public, de clouer de nouvelles planches à la baraque gouvernementale, de médicamenter les doctrinaires, de recuire les vieux républicains, de réchampir les bonapartistes et de ravitailler le centre, pourvu qu'il nous soit permis de rire *in petto* des rois et des peuples, de ne pas être le soir de notre opinion du matin, et de passer une joyeuse vie. Nous te destinions les rênes de cet empire macaronique et burlesque, ainsi nous t'emmenons de ce pas au dîner donné par le fondateur dudit journal, un banquier retiré qui, ne sachant que faire de son or, veut le changer en esprit. Tu y seras accueilli comme un frère, nous t'y saluerons roi de ces esprits frondeurs que rien n'épouvante. Taillefer, notre amphitryon, nous a promis de surpasser les étroites saturnales de nos petits Lucullus modernes. Il est assez riche pour mettre de la grandeur dans les petitesses, de l'élégance et de la grâce dans le vice. Entends-tu, Raphaël? lui demanda l'orateur en s'interrompant.

— Oui, répondit le jeune homme moins étonné de l'accomplissement de ses souhaits que surpris de la manière naturelle par laquelle les événements s'enchaînaient.

— Mais tu nous dis oui, comme si tu pensais à la mort de ton grand-père.

— Ah! reprit Raphaël, je pensais, mes amis, que nous voilà près de devenir de bien grands coquins! Quand on ne croit plus qu'au diable, il est permis de regretter le paradis de la jeunesse.

— Oh! tu ne m'entends pas, protesta l'orateur qui s'appelait Emile. Le journalisme, vois-tu, c'est la religion des sociétés modernes, et il y a progrès.

– Comment?

– Les pontifes ne sont pas tenus de croire, ni le peuple non plus.

En devisant ainsi, ils arrivèrent à un hôtel de la rue Joubert. Emile était un journaliste qui avait conquis plus de gloire à ne rien faire que les autres n'en recueillent de leurs succès. Critique hardi, plein de verve et de mordant, il possédait toutes les qualités que comportaient ses défauts. Franc et rieur, il disait en face mille épigrammes à un ami, qu'absent, il défendait avec courage et loyauté. Il se moquait de tout, même de son avenir.

– Nous allons faire, suivant l'expression de maître Alcofribas, un fameux *tronçon de chiere lie,* dit-il à Raphaël en lui montrant les caisses de fleurs qui embaumaient et verdissaient les escaliers.

Puis, d'un geste moqueur, il montra les convives en entrant dans un salon qui resplendissait de dorures, de lumières, et où ils furent aussitôt accueillis par les jeunes gens les plus remarquables de Paris.

Un valet de chambre vêtu de noir vint ouvrir les portes d'une vaste salle à manger, où chacun alla sans cérémonie reconnaître sa place autour d'une table immense. Avant de quitter les salons, Raphaël y jeta un dernier coup d'œil. Son souhait était certes bien complètement réalisé. La soie et l'or tapissaient les appartements. Les fleurs rares de quelques jardinières artistement construites avec des bambous, répandaient de doux parfums.

Les deux amis s'assirent en riant. D'abord et par un regard plus rapide que la parole, chaque convive paya son tribut d'admiration au somptueux coup d'œil qu'offrait une longue table, blanche comme une couche de neige fraîchement tombée, et sur laquelle s'élevaient symétriquement les couverts couronnés de petits pains blonds. Les cristaux répétaient les couleurs de l'iris dans leurs reflets étoilés, les bougies traçaient des feux croisés à l'infini, les mets placés sous les dômes d'argent aiguisaient l'appétit et la curiosité. Les paroles furent assez rares. Les voisins se regardèrent. Le vin de Madère circula. Puis le premier service apparut dans toute sa gloire. Les vins de Bordeaux et de Bourgogne, blancs et rouges, furent servis avec une profusion royale. Cette première partie du festin était comparable, en tout point, à l'exposition d'une tragédie classique. Le second acte devint quelque peu bavard. Chaque convive avait bu en changeant de crus suivant ses caprices, en sorte qu'au moment où l'on emporta les restes de ce magnifique service de tumultueuses discussions s'étaient établies. Pendant cette aurore de l'ivresse, le discours ne sortit pas encore des bornes de la civilité ; mais les railleries, les bons mots s'échappèrent peu à peu de toutes les bouches. Le second service trouva donc les esprits tout à fait échauffés. Chacun mangea en parlant, parla en mangeant, but sans prendre garde à l'affluence des liquides, tant ils étaient lampants et parfumés, tant l'exemple fut contagieux. Taillefer se piqua d'animer ses convives, et fit avancer les terribles vins du Rhône, le chaud Tokay, le vieux Roussillon capiteux. Déchaînés comme les chevaux d'une malle-poste qui part d'un relais, ces hommes fouettés par les flammèches du vin de Champagne impatiemment attendu, mais abondamment versé, laissèrent alors galoper leurs esprits dans le vide de ces raisonnements que personne n'écoute. Puis arrivèrent les toasts insidieux, les forfanteries, les défis. Tous renonçaient à se glorifier de leur capacité intellectuelle pour revendiquer celle des tonneaux, des foudres, des cuves. Il vint un moment où les maîtres parlèrent tous à la fois, et où les valets sourirent.

– Comment appelez-vous le jeune homme que je vois là-bas? dit le notaire en montrant Raphaël. J'ai cru l'entendre nommer Valentin.

– Que chantez-vous avec votre Valentin tout court? s'écria Emile en riant. Raphaël de Valentin, s'il vous plaît! Nous *portons un aigle d'or en champ de sable couronné d'argent becqué et onglé de gueules,* avec une belle devise: Non cecidit animus! Nous ne sommes pas un enfant trouvé, mais le descendant de l'empereur *Valens*, souche des *Valentinois,* fondateur des villes de Valence en Espagne et en France, héritier légitime de l'empire d'Orient.

Emile décrivit en l'air, avec sa fourchette, une couronne au-dessus de la tête de Raphaël. Le notaire se recueillit pendant un moment et se remit bientôt à boire en laissant échapper un geste authentique, par lequel il semblait avouer qu'il lui était impossible de rattacher à sa clientèle les villes de Valence, l'empereur Valens et la famille des Valentinois.

Le dessert se trouva servi comme par enchantement. La table fut couverte d'un vaste surtout en bronze doré, sorti des ateliers de Thomire. De hautes figures décorées par un célèbre artiste des formes convenues en Europe pour la beauté idéale, soutenaient et portaient des buissons de fraises, des ananas, des dattes fraîches, des raisins jaunes, de blondes pêches, des oranges arrivées de

Sétubal par un paquebot, des grenades, des fruits de la Chine, enfin toutes les surprises du luxe, les miracles du petit-four, les délicatesses les plus friandes, les friandises les plus séductrices. Le territoire d'un prince allemand n'aurait pas payé cette richesse insolente ; mais les yeux engourdis et la verbeuse fièvre de l'ivresse permirent à peine aux convives d'avoir une intuition vague de cette féerie digne d'un conte oriental. Les pyramides de fruits furent pillées, les voix grossirent, le tumulte grandit. Il n'y eut plus alors de paroles distinctes, les verres volèrent en éclats, et des rires atroces partirent comme des fusées.

En entendant la voix sonore du valet qui, à défaut d'un maître, leur annonçait des joies nouvelles, les convives se levèrent entraînés, soutenus ou portés les uns par les autres. La troupe entière resta pendant un moment immobile et charmée sur le seuil de la porte. Sous les étincelantes bougies d'un lustre d'or, autour d'une table chargée de vermeil, un groupe de femmes se présenta soudain aux convives hébétés dont les yeux s'allumèrent. Riches étaient les parures, mais plus riches encore étaient ces beautés éblouissantes devant lesquelles disparaissaient toutes les merveilles de ce palais. Les yeux passionnés de ces filles, prestigieuses comme des fées, avaient encore plus de vivacité que les torrents de lumière qui faisaient resplendir les reflets satinés des tentures, la blancheur des marbres et les saillies délicates des bronzes. Le cœur brûlait à voir les contrastes de leurs coiffures agitées et de leurs attitudes, toutes diverses d'attraits et de caractère. C'était une haie de fleurs mêlées de rubis, de saphir et de corail. Ce sérail offrait des séductions pour tous les yeux, des voluptés pour tous les caprices.

Les convives s'approchèrent d'elles avec politesse, et des conversations s'établirent. Des groupes se formèrent. Vous eussiez dit d'un salon de bonne compagnie où les jeunes filles et les femmes vont offrant aux convives, après le dîner, les secours que le café, les liqueurs et le sucre prêtent aux gourmands embarrassés dans les travaux d'une digestion récalcitrante. Mais bientôt quelques rires éclatèrent, le murmure augmenta, les voix s'élevèrent.

Assis sur un moelleux divan, les deux amis virent d'abord arriver près d'eux une grande fille bien proportionnée, superbe en son maintien. Sa chevelure noire, lascivement bouclée, retombait en flocons légers sur ses larges épaules. La peau, d'un blanc mat, faisait ressortir les tons chauds et animés de ses vives couleurs.. Vêtue d'une robe en velours rouge, elle foulait d'un pied insouciant quelques fleurs déjà tombées de la tête de ses compagnes, et d'une main dédaigneuse tendait aux deux amis un plateau d'argent.

– Comment te nommes-tu ? lui dit Raphaël.

– Aquilina. De même que les papes se donnent de nouveaux noms en montant au-dessus des hommes, j'en ai pris un autre en m'élevant au-dessus de toutes les femmes.

– Je voudrais bien savoir, dit Emile, si parfois tu songes à l'avenir.

– L'avenir ? Pourquoi penserais-je à ce qui n'existe pas encore ? Je ne regarde jamais ni en arrière ni en avant de moi.

Contempler en ce moment les salons, c'était avoir une vue anticipée du Pandémonium de Milton. Les flammes bleues du punch coloraient d'une teinte infernale les visages de ceux qui pouvaient boire encore. Des danses folles excitaient des rires et des cris qui éclataient comme les détonations d'un feu d'artifice. L'atmosphère était chaude de vin, de plaisirs et de paroles.

Raphaël laissa tout à coup échapper un éclat de rire si brusquement intempestif, que son ami lui demanda compte de cette joie brutale.

– Tu me comprendrais difficilement, répondit-il. D'abord, il faudrait t'avouer que vous m'avez arrêté sur le quai Voltaire, au moment où j'allais me jeter dans la Seine.

– Quelle expérience voulais-tu donc faire en te jetant dans la Seine?

– Ah! si tu connaissais ma vie.

– La phrase est usée ! Ne sais-tu pas que nous avons tous la prétention de souffrir beaucoup plus que les autres ?

La femme sans cœur

Après être resté silencieux pendant un moment, Raphaël dit en laissant échapper un geste d'insouciance :

– Vue à distance, ma vie est comme rétrécie par un phénomène moral. Cette longue et lente douleur qui a duré dix ans peut aujourd'hui se reproduire par quelques phrases dans lesquelles la douleur ne sera plus qu'une pensée, et le plaisir une réflexion philosophique. Je juge au lieu de sentir...

– Tu es ennuyeux comme un amendement qui se développe, s'écria Emile.

– C'est possible. Aussi, pour ne pas abuser de tes oreilles, te ferai-je grâce des dix-sept premières années de ma vie. Jusque-là, j'ai vécu comme toi, comme mille autres, de cette vie de collège ou de lycée, dont les malheurs fictifs et les joies réelles sont les délices de notre souvenir. Quand je sortis du collège, mon père m'astreignit à une discipline sévère, il me logea dans une chambre contiguë à son cabinet; je me couchais dès neuf heures du soir et me levais à cinq heures du matin; il voulait que je fisse mon droit en conscience, j'allais en même temps à l'Ecole et chez un avoué. Jusqu'à vingt-et-un ans, j'ai été courbé sous un despotisme aussi froid que celui d'une règle monacale. Pour te révéler les tristesses de ma vie, il suffira peut-être de te dépeindre mon père :

un grand homme sec et mince, le visage en lame de couteau, le teint pâle, à parole brève, méticuleux comme un chef de bureau. Si je voulais lui manifester un sentiment doux et tendre, il me recevait en enfant qui va dire une sottise, je le redoutais, j'avais toujours huit ans pour lui. Dans sa redingote marron, où il se tenait droit comme un cierge pascal, il avait l'air d'un hareng saur enveloppé dans la couverture rougeâtre d'un pamphlet. Aujourd'hui je souris en me souvenant de tous les préjugés qui troublaient ma conscience à cette époque d'innocence et de vertu : si j'avais mis le pied chez un restaurateur, je me serais cru ruiné ; mon imagination me faisait considérer un café comme un lieu de débauche. J'étais fils unique et j'avais perdu ma mère depuis dix ans. Autrefois, peu flatté d'avoir le droit de labourer la terre l'épée au côté, mon père, chef d'une maison historique à peu près oubliée en Auvergne, vint à Paris pour y lutter avec le diable. Doué de cette finesse qui rend les hommes du midi de la France si supérieurs quand elle se trouve accompagnée d'énergie, il était parvenu sans grand appui à prendre position au cœur même du pouvoir. La Révolution renversa bientôt sa fortune ; mais il avait su épouser l'héritière d'une grande maison, et s'était vu sous l'Empire au moment de restituer à notre famille son ancienne splendeur. La Restauration, qui rendit à ma mère des biens considérables, ruina mon père. Ayant jadis acheté plusieurs terres données par l'empereur à ses généraux et situées en pays étranger, il se battait depuis dix ans avec des liquidateurs et des diplomates, avec des tribunaux prussiens et bavarois pour se maintenir dans la possession contestée de ces malheureuses dotations.

Mon père se jeta dans le labyrinthe inextricable de ce vaste procès d'où dépendait notre avenir. Nous pouvions être condamnés à restituer les revenus, ainsi que le prix de certaines coupes de bois faites de 1814 à 1816; dans ce cas, le bien de ma mère suffisait à peine pour sauver l'honneur de notre nom. Devenu docteur en droit, je dus travailler nuit et jour, aller voir des hommes d'État, tâcher de surprendre leur religion, tenter de les intéresser à notre affaire, les séduire, eux, leurs femmes, leurs valets, leurs chiens, et déguiser cet horrible métier sous des formes élégantes, sous d'agréables plaisanteries. Je compris tous les chagrins dont l'empreinte flétrissait la figure de mon père. Je menai en apparence la vie d'un homme du monde, mais cette dissipation et mon empressement à me lier avec des parents en faveur ou avec des gens qui pouvaient nous être utiles, cachaient d'immenses travaux. Mes divertissements étaient encore des plaidoieries, et mes conversations des mémoires. Jusque-là, j'avais été vertueux par l'impossibilité de me livrer à mes passions de jeune homme; mais craignant alors de causer la ruine de mon père ou la mienne par une négligence, je devins mon propre despote, et n'osai me permettre ni un plaisir, ni une dépense. Aussi, quand monsieur de Villèle exhuma, tout exprès pour nous, un décret impérial sur les déchéances, et nous eut ruinés, signai-je la vente de mes propriétés, n'en gardant qu'une île sans valeur, située au milieu de la Loire, et où se trouvait le tombeau de ma mère. Dix mois après, mon père mourut de chagrin, il m'adorait et m'avait ruiné; cette idée le tua. En 1826, à l'âge de vingt-deux ans, vers la fin de l'automne, je suivis tout seul le convoi de mon premier ami, de mon père. Peu de jeunes gens se sont trouvés, seuls avec leurs pensées, derrière un corbillard, perdus dans Paris, sans avenir, sans fortune. Trois mois après, un commissaire-priseur me remit onze cent douze francs, produit net et liquide de la succession paternelle. Des créanciers m'avaient obligé à vendre notre mobilier. Accoutumé dès ma jeunesse à donner une grande valeur aux objets de luxe dont j'étais entouré, je ne pus m'empêcher de marquer une sorte d'étonnement à l'aspect de ce reliquat exigu. – «Oh! me dit le commissaire-priseur, tout cela était bien *rococo*.» Mot épouvantable qui flétrissait toutes les religions de mon enfance et me dépouillait de mes premières illusions, les plus chères de toutes. Mon avenir gisait dans un sac de toile qui contenait onze cent douze francs, la Société m'apparaissait en la personne d'un huissier-priseur qui me parlait le chapeau sur la tête. Un valet de chambre qui me chérissait, et à qui ma mère avait jadis constitué quatre cents francs de rente viagère, Jonathas me dit en quittant la maison: – «Soyez bien économe, monsieur Raphaël!» Il pleurait, le bon homme.

«Tels sont, mon cher Emile, les événements qui maîtrisèrent ma destinée, modifièrent mon âme, et me placèrent jeune encore dans la plus fausse des situations sociales. Quoique parent de personnes très influentes, je n'avais ni parents, ni protecteurs. Plein de franchise et de naturel, je devais paraître froid, dissimulé; le despotisme de mon père m'avait ôté toute confiance en moi; j'étais timide et gauche, je me trouvais laid, j'avais honte de mon regard. J'étais la proie d'une excessive ambition, je me croyais destiné à de grandes choses, et je me sentais dans le néant. Comme tous les grands enfants, j'aspirais secrètement à de belles amours, mais la conquête du pouvoir ou d'une grande renommée littéraire me paraissait un triomphe moins difficile à obtenir qu'un succès auprès d'une femme de haut rang, jeune, spirituelle et gracieuse. J'ai souvent voulu me tuer de désespoir.

– Joliment tragique ce soir! s'écria Emile.

– Eh! laisse-moi condamner ma vie, répondit Raphaël. Je voulus posséder l'âme de toutes les femmes en me soumettant les intelligences. Je m'instituai grand homme. Dès mon enfance, je m'étais frappé le front en me disant comme André de Chénier: «Il y a quelque chose là!» Je croyais sentir en moi une pensée à exprimer, un système à établir, une science à expliquer. La résolution que je pris était naturelle, quoique folle; elle comportait je ne sais quoi d'impossible qui me donna du courage. Ce fut comme un pari fait avec moi-même, et où j'étais le joueur et l'enjeu. Voici mon plan. Mes onze cents francs devaient suffire à ma vie pendant trois ans et je m'accordais ce temps pour mettre au jour un ouvrage qui pût attirer l'attention publique sur moi, me faire une fortune ou un nom. Je me réjouissais en pensant que j'allais vivre de pain et de lait, comme un solitaire de la Thébaïde, plongé dans le monde des livres et des idées, dans une sphère inaccessible au milieu de ce Paris si tumultueux, sphère de travail et de silence où, comme les chrysalides, je me bâtissais une tombe pour renaître brillant et glorieux. J'allais risquer de mourir pour vivre. En réduisant l'existence à ses vrais besoins, au strict nécessaire, je trouvais que trois cent soixante-cinq francs par an devaient suffire à ma pauvreté. En effet, cette maigre somme a satisfait ma vie, tant que j'ai voulu subir ma propre discipline claustrale...

– C'est impossible, s'écria Emile.

– J'ai vécu près de trois ans ainsi, répondit Raphaël avec une sorte de fierté. Comptons ? Trois sous de pain, deux sous de lait, trois sous de charcuterie m'empêchaient de mourir de faim et tenaient mon esprit dans un état de lucidité singulière. Mon logement me coûtait trois sous par jour, je brûlais pour trois sous d'huile par nuit, je faisais moi-même ma chambre, je portais des chemises de flanelle pour ne dépenser que deux sous de blanchissage par jour. Je me chauffais avec du charbon de terre, dont le prix divisé par les jours de l'année n'a jamais donné plus de deux sous pour chacun. J'avais des habits, du linge, des chaussures pour trois années, je ne voulais m'habiller que pour aller à certains cours publics et aux bibliothèques. Ces dépenses réunies ne faisaient que dix-huit sous, il me restait deux sous pour les choses imprévues. Quand je fus bien résolu à suivre mon nouveau plan de vie, je cherchai mon logis dans les quartiers les plus déserts de Paris. Un soir, à l'angle de la rue de Cluny, je vis une petite fille d'environ quatorze ans qui jouait au volant avec une de ses camarades. Il faisait beau, la soirée était chaude. Devant chaque porte, des femmes assises devisaient comme dans une ville de province par un jour de fête. Je cherchai la cause de cette bonhomie au milieu de Paris, je remarquai que la rue n'aboutissait à rien, et ne devait pas être très passante. En me rappelant le séjour de J.-J. Rousseau en ce lieu, je trouvai l'hôtel Saint-Quentin ; le délabrement dans lequel il était me fit espérer d'y rencontrer un gîte peu coûteux, et je voulus le visiter. En entrant dans une chambre basse, je fus frappé de la propreté qui régnait dans cette salle ordinairement assez mal tenue dans les autres hôtels, et que je trouvai là peignée comme un tableau de genre. La maîtresse de l'hôtel, femme de quarante ans environ, dont les traits exprimaient des malheurs, se leva, vint à moi; je lui soumis humblement le tarif de mon loyer; mais, sans en paraître étonnée, elle chercha une clef parmi toutes les autres, et me conduisit dans les mansardes où elle me montra une chambre qui avait vue sur les toits. Il y avait place pour un lit, une table, quelques chaises, et sous l'angle aigu du toit je pouvais loger mon piano. Je fus bientôt d'accord avec mon hôtesse, et m'installai le lendemain chez elle. Je vécus dans ce sépulcre aérien pendant près de trois ans, travaillant nuit et jour sans relâche, avec tant de plaisir que l'étude me semblait être la plus heureuse solution de la vie humaine.

«J'avais entrepris deux grandes œuvres. Une comédie devait en peu de jours me donner une renommée, une fortune, et l'entrée de ce monde, où je voulais reparaître en y exerçant les droits régaliens de l'homme de génie. Vous avez tous vu dans ce chef-d'œuvre la première erreur d'un jeune homme qui sort du collège, une véritable niaiserie d'enfant. Vos plaisanteries ont coupé les ailes à des illusions qui depuis ne se sont plus réveillées. Toi seul, mon cher Emile, as calmé la plaie profonde que d'autres firent à mon cœur! Toi seul admiras ma *Théorie de la volonté,* ce long ouvrage pour lequel j'avais appris les langues orientales, l'anatomie, la physiologie, auquel j'avais consacré la plus grande partie de mon temps. Cette œuvre, si je ne me trompe, complétera les travaux de Mesmer, de Lavater, de Gall, de Bichat, en ouvrant une nouvelle route à la science humaine. Là s'arrête ma belle vie, ce sacrifice de tous les jours, ce travail de ver-à-soie inconnu au monde et dont la seule récompense est peut-être le travail même. Depuis l'âge de raison jusqu'au jour où j'eus terminé ma théorie, j'ai observé, appris, écrit, lu sans relâche. Gourmand, j'ai été sobre; bavard, j'allais écouter en silence les professeurs; j'ai dormi sur un grabat solitaire comme un religieux. Pendant les dix premiers mois de ma réclusion, je menai la vie pauvre et solitaire que je t'ai dépeinte; mais après ce temps, pendant lequel l'hôtesse et sa fille espionnèrent mes mœurs et mes habitudes, examinèrent ma personne et comprirent ma misère, il s'établit d'inévitables liens entre elles et moi. Pauline, cette charmante créature, me rendit plusieurs services qu'il me fut impossible de refuser. Je vis la mère elle-même raccommodant mon linge et rougissant d'être surprise à cette charitable occupation. Devenu malgré moi leur protégé, j'acceptai leurs services. Pouvais-je résister à la délicate attention avec laquelle Pauline m'apportait à pas muets mon repas frugal, quand elle s'apercevait que, depuis sept ou huit heures, je n'avais rien pris? Un soir, Pauline me raconta son histoire avec une touchante ingénuité. Son père était chef d'escadron dans les grenadiers à cheval de la garde impériale. Au passage de la Bérésina, il avait été fait prisonnier par les Cosaques; plus tard, quand Napoléon proposa de l'échanger, les autorités russes le firent vainement chercher en Sibérie; au dire des autres prisonniers, il s'était échappé avec le projet d'aller aux Indes. Depuis ce temps, madame Gaudin, mon hôtesse, n'avait pu obtenir aucune nouvelle de son mari, les désastres de 1814 et 1815 étaient arrivés, seule, sans ressources et sans secours, elle avait pris le parti de tenir un hôtel garni pour faire vivre sa fille. Elle espérait toujours revoir son mari. Son plus cruel chagrin était de laisser Pauline sans éducation, sa Pauline, filleule de la princesse Borghèse. Pour reconnaître les soins que me prodiguaient ces deux femmes, j'eus l'idée de m'offrir à finir l'éducation de Pauline. La candeur avec laquelle ces deux femmes acceptèrent ma proposition fut égale à la naïveté qui la dictait. La petite avait les plus heureuses dispositions, elle apprit avec tant de facilité qu'elle devint bientôt plus forte que je ne l'étais sur le piano. En s'accoutumant à penser tout haut près de moi, elle déployait les mille gentillesses d'un cœur qui s'ouvre à la vie; elle m'écoutait avec recueillement et plaisir; elle répétait ses leçons d'un accent doux et caressant en témoignant une joie enfantine quand j'étais content d'elle. Quand je rentrais, je trouvais Pauline chez moi, dans la toilette la plus modeste; mais au moindre mouvement, sa taille souple et les attraits de sa personne se révélaient sous l'étoffe grossière. Je m'étais ordonné de ne voir qu'une sœur en Pauline, j'aurais eu horreur de tromper la confiance de sa mère, j'admirais cette charmante fille comme un tableau. Puis, je l'avoue à ma honte, je ne conçois pas l'amour dans la misère.

«Jusqu'à l'hiver dernier, ma vie fut la vie tranquille et studieuse de laquelle j'ai tâché de te donner une faible image. Dans les premiers jours de décembre 1829, je rencontrai Rastignac qui, malgré le misérable état de mes vêtements, me donna le bras et s'enquit de ma fortune avec un intérêt vraiment fraternel; pris à la glu de ses manières, je lui racontai brièvement ma vie et mes espérances; il se mit à rire, me traita à la fois d'homme de génie et de sot, sa voix gasconne, son expérience du monde, l'opulence qu'il devait à son savoir-faire, agirent sur moi d'une manière irrésistible. Avec cette verve aimable qui le rend si séduisant, il me montra que je devais aller dans le monde, habituer les gens à prononcer mon nom. – «Toi, tu travailles? Eh bien, tu ne feras jamais rien Moi, je suis propre à tout et bon à rien, paresseux comme un homard? Eh bien, j'arriverai à tout. Je me répands, je me pousse, l'on me fait place; je me vante, l'on me croit; je fais des dettes, on les paie! Il faut maintenant faire ton succès toi-même, c'est plus sûr. Tu iras conclure des alliances avec les coteries, conquérir des prôneurs. Moi, je veux me mettre de moitié dans ta gloire, je serai le bijoutier qui aura monté les diamants de ta couronne. Pour commencer, dit-il, soit ici demain soir. Je te présenterai dans une maison où va tout Paris, celui des gens à millions, des célébrités. Demain soir tu verras la belle comtesse Fœdora, la femme à la mode. Une femme à marier qui possède près de quatre-vingt mille livres de rentes, qui ne veut de personne ou de qui personne ne veut! Espèce de problème féminin, une Parisienne à moitié Russe, une Russe à moitié Parisienne! La plus belle femme de Paris!» Il fit une pirouette et disparut sans attendre ma réponse, n'admettant pas qu'un homme raisonnable pût refuser d'être présenté à Fœdora. Comment expliquer la fascination d'un nom? Fœdora me poursuivit comme une mauvaise pensée avec laquelle on cherche à transiger. Une voix me disait:

Tu iras chez Fœdora. J'avais beau me débattre avec cette voix et lui crier qu'elle mentait, elle écrasait tous mes raisonnements avec ce nom: Fœdora.

«Je possédais heureusement encore un habit noir et un gilet blanc assez honorables. Mes gants et mon fiacre mangèrent le pain de tout un mois. Rastignac, fidèle au rendez-vous, sourit de ma métamorphose et m'en plaisanta; mais, tout en allant chez la comtesse, il me donna de charitables conseils sur la manière de me conduire avec elle; il me la peignit avare, vaine et défiante; mais avare avec faste, vaine avec simplicité, défiante avec bonhomie. J'aperçus une femme d'environ vingt-deux ans, de moyenne taille, vêtue de blanc, entourée d'un cercle d'hommes, et tenant à la main un écran de plumes. En voyant entrer Rastignac, elle se leva, vint à nous, sourit avec grâce, me fit d'une voix mélodieuse un compliment sans doute apprêté; notre ami m'avait annoncé comme un homme de talent, et son adresse, son emphase gasconne me procurèrent un accueil flatteur. Je fus l'objet d'une attention particulière qui me rendit confus; mais Rastignac avait heureusement parlé de ma modestie. Je rencontrai là des savants, des gens de lettres, d'anciens ministres, des pairs de France. La conversation reprit son cours quelque temps après mon arrivée, et, sentant que j'avais une réputation à soutenir, je me rassurai; puis, sans abuser de la parole quand elle m'était accordée, je tâchai de résumer les discussions par des mots plus ou moins incisifs, profonds ou spirituels. Je produisis quelque sensation. Fœdora me fit asseoir près d'elle, me questionna sur mes travaux, et sembla s'y intéresser vivement, surtout quand je lui traduisis mon système en plaisanteries au lieu de prendre le langage d'un professeur pour le lui développer doctoralement. J'eus l'honneur d'amuser cette femme, elle me quitta en m'invitant à la venir voir; en style de cour, elle me donna les grandes entrées. Je sortis ravi, séduit par cette femme, enivré par son luxe; bientôt ma passion grandit, je ne fus plus maître de moi, je devins éperdument amoureux.

«Combien d'heures ne suis-je pas resté plongé dans une extase ineffable occupé à *la* voir! Heureux de quoi? je ne sais. Dans ces moments, si son visage était inondé de lumière, il s'y opérait je ne sais quel phénomène qui le faisait resplendir. Il semblait que le jour la caressât en s'unissant à elle, ou qu'il s'échappât de sa figure une lumière plus vive que la lumière même. Il existait entre nous une sorte d'entente: elle me confiait ses projets; elle me consultait par un regard quand elle disait un mot spirituel, comme si elle eût voulu me plaire exclusivement; si je boudais, elle devenait caressante; si elle faisait la fâchée, j'avais le droit de l'interroger. Ces querelles auxquelles nous avions pris goût étaient pleines d'amour. Elle y déployait tant de grâce et de coquetterie, et moi j'y trouvais tant de bonheur. Un soir elle me dit: – «Sachez, monsieur de Valentin, que je n'ai jamais revu les personnes assez mal inspirées pour me parler d'amour. Si mon affection pour vous était légère, je ne vous donnerais pas un avertissement dans lequel il entre plus d'amitié que d'orgueil.» Elle s'exprimait avec le sang-froid d'un avoué, d'un notaire; le timbre clair et séducteur de sa voix n'exprimait pas la moindre émotion. D'abord les paroles me manquèrent; mais bientôt je refoulai mes sensations et me mis à sourire: – «Si je vous dis que je vous aime, répondis-je, vous me bannirez; si je m'accuse d'indifférence, vous m'en punirez. Le silence ne préjuge rien; trouvez bon, madame, que je me taise.»

«Combien de sacrifices ignorés n'ai-je pas faits à Fœdora! Souvent je consacrais l'argent nécessaire au pain d'une semaine pour aller la voir un moment. Quitter mes travaux et jeûner, ce n'était rien! Mais traverser les rues de Paris sans se laisser éclabousser, courir pour éviter la pluie, arriver chez elle aussi bien mis que les jeunes fats qui l'entouraient, ah! cette tâche avait d'innombrables difficultés. Mon bonheur, mon amour, dépendait d'une moucheture de fange sur mon seul gilet blanc! Renoncer à la voir si je me crottais, si je me mouillais! Ma passion s'était augmentée de tous ces petits supplices inconnus, immenses chez un homme irritable. Les malheureux ont des dévouements desquels il ne leur est point permis de parler aux femmes qui vivent dans une sphère de luxe et d'élégance; mon affreuse détresse me condamnait à d'épouvantables souffrances sans qu'il me fût permis de dire: J'aime! ou: Je meurs! Naguère insouciant en fait de toilette, je respectais maintenant mon habit comme un autre moi-même. Entre une blessure à recevoir et la déchirure de mon frac, je n'aurais pas hésité! L'amour nous donne une sorte de religion pour nous-mêmes, nous respectons en nous une autre vie; il devient alors le plus horrible des malheurs, le malheur avec une espérance, une espérance qui vous fait accepter des tortures.

Je rompis avec la vie monastique et studieuse que j'avais menée pendant trois ans. J'allai fort assidûment chez Fœdora, où je tâchai de surpasser les impertinents ou les héros de coteries qui s'y trouvaient. J'écrasai mes rivaux, et passai pour un homme plein de séductions, prestigieux, irrésistible. Cependant les gens habiles disaient en parlant de moi : «Un garçon aussi spirituel ne doit avoir de passions que dans la tête!» Ils vantaient charitablement mon esprit aux dépens de ma sensibilité. «Est-il malheureux de ne pas aimer! s'écriaient-ils. S'il aimait aurait-il autant de gaieté, de verve!» J'étais cependant bien amoureusement stupide en présence de Fœdora! Seul avec elle, je ne savais rien lui dire, ou si je parlais, je médisais de l'amour; j'étais tristement gai comme un courtisan qui veut cacher un cruel dépit. Enfin, j'essayai de me rendre indispensable à sa vie, à sa vanité : tous les jours près d'elle, j'étais un esclave, un jouet sans cesse à ses ordres. Mais je me vis bientôt sans un sou. Dès lors, mon cher ami, fat sans bonnes fortunes, élégant sans argent, amoureux anonyme, je retombai dans ce froid et profond malheur caché sous les trompeuses apparences du luxe. Souvent les gâteaux et le thé, si parcimonieusement offerts dans les salons, étaient ma seule nourriture. Quelquefois, les somptueux dîners de la comtesse me sustentaient pendant deux jours. J'employai tout mon temps, mes efforts et ma science d'observation à pénétrer plus avant dans l'impénétrable caractère de Fœdora. Un soir, elle m'humilia par un de ces gestes et par un de ces regards qu'aucune parole ne saurait peindre. Je sortis pleurant. Souvent je l'accompagnais aux Bouffons; là, près d'elle, tout entier à mon amour, je prenais sa main, mais sa main était muette. Elle cachait un cœur de bronze sous sa frêle et gracieuse enveloppe. Et je l'aimais toujours! J'espérais fondre ses glaces, ouvrir son cœur aux tendresses.

«En mai dernier, vers huit heures du soir, je me trouvai seul avec Fœdora, dans son boudoir gothique. Nous restâmes environ une heure à causer familièrement. – «Madame, lui dis-je enfin, écoutez-moi. Je vous aime. Combien de maux n'ai-je pas soufferts pour vous, et dont cependant vous êtes innocente! Il y a deux misères, madame: celle qui va par les rues en haillons, se nourrissant de peu, réduisant la vie au simple; puis la misère du luxe, qui cache la mendicité sous un titre. L'une est la misère du peuple; l'autre, celle des escrocs, des rois et des gens de talent.» Je lui racontai mes sacrifices, je lui peignis ma vie. Ma passion déborda par des mots flamboyants; mon amour dans sa force et dans la beauté de son espérance m'inspira ces paroles qui projettent toute une vie en répétant les cris d'une âme déchirée. Elle me jeta un regard méprisant et me dit: – «Monsieur, vous avez dû avoir bien froid.» Puis, éclatant de rire, elle s'écria: – «Ah! je suis sans doute bien criminelle de ne pas vous aimer? Est-ce ma faute? Non, je ne vous aime pas, cela suffit, et cette scène m'affecte désagréablement.» Je pris mon chapeau, je la saluai: – «Je ne vous verrai plus. – Je l'espère, répondit-elle en inclinant la tête avec une impertinente expression.» Je lui jetai ma haine dans un regard et je m'enfuis. Il fallait oublier Fœdora, me guérir de ma folie, reprendre ma studieuse solitude ou mourir.

«Je m'imposai donc des travaux exorbitants, je voulus achever mes ouvrages. Pendant quinze jours, je ne sortis pas de ma mansarde, et consumai toutes mes nuits en de pâles études. Malgré mon courage, je travaillais difficilement et par saccades. Je ne pouvais chasser le fantôme brillant et moqueur de Fœdora. Un soir, Pauline pénétra dans ma chambre. – «Vous vous tuez, me dit-elle d'une voix suppliante; vous devriez sortir, aller

voir vos amis. – Ah! Pauline, la vie m'est insupportable. – Il n'y a donc qu'une femme dans le monde? dit-elle en souriant. Pourquoi mettez-vous des peines infinies dans une vie si courte?» Je regardai Pauline avec stupeur. Elle me laissa seul.

«Le lendemain, je rencontrai Rastignac, qui me trouva changé, maigri. – «De quel hôpital sors-tu? me dit-il. – Cette femme me tue, répondis-je. Je ne puis ni la mépriser, ni l'oublier. – Ecoute, reprit-il, je n'ai rien trouvé de mieux que d'user l'existence par le plaisir. Plonge-toi dans une dissolution profonde, ta passion ou toi, vous y périrez. L'intempérance, mon cher, est la reine de toutes les morts. – Et l'argent? lui dis-je. Que pouvons-nous faire? – Aller au jeu. – Non, dis-je, j'ai promis à mon père de ne jamais mettre le pied dans une maison de jeu. Cette promesse est sacrée. Prends mes derniers sous, et vas-y seul. Pendant que tu risqueras notre fortune j'irai mettre mes affaires en ordre, et reviendrai t'attendre chez toi.»

«Voilà, mon cher, comment je me perdis. Revenu à mon hôtel Saint-Quentin, je contemplai longtemps la mansarde où j'avais mené la chaste vie d'un savant. Pauline me surprit dans une attitude mélancolique. – «Eh! bien, qu'avez-vous? – Je vous quitte, ma chère Pauline. – Je l'ai deviné, s'écria-t-elle. – Ecoutez, mon enfant, je ne renonce pas à venir ici. Gardez ma cellule pendant une demi-année. Si je ne suis pas de retour vers le quinze novembre vous hériterez de moi. «Elle me jetait des regards qui pesaient sur mon cœur. Pauline était là comme une conscience vivante. – «M'écrirez-vous?» Je ne répondis pas. – «Adieu, Pauline.» Je l'attirai doucement à moi, puis sur son front d'amour, vierge comme la neige, je mis un baiser de frère, un baiser de vieillard. Elle se sauva. Je ne voulus pas voir madame Gaudin. Je mis ma clef à sa place habituelle et partis. En quittant la rue de Cluny, j'entendis derrière moi le pas léger d'une femme. – «Je vous ai brodé cette bourse, la refuserez-vous ?» me dit Pauline. Je crus apercevoir à la lueur du réverbère une larme dans les yeux de Pauline, et je soupirai. Poussés tous deux par la même pensée peut-être, nous nous séparâmes avec l'empressement de gens qui auraient voulu fuir la peste.

«La vie de dissipation à laquelle je me vouais apparut devant moi bizarrement exprimée par la chambre où j'attendais le retour de Rastignac. Des meubles élégants, présents de l'amour, étaient épars. De vieilles chaussettes traînaient sur un voluptueux divan. L'opulence et la misère s'accouplaient naïvement dans le lit, sur les murs, partout. C'était une chambre de joueur ou de mauvais sujet. J'étais presque assoupi quand, d'un coup de pied, Rastignac enfonça la porte, et s'écria : – « Victoire ! nous pourrons mourir à notre aise ! » Il me montra son chapeau plein d'or, le mit sur la table, et nous dansâmes autour comme deux Cannibales ayant une proie à manger, hurlant, trépignant, sautant, nous donnant des coups de poing à tuer un rhinocéros, et chantant à l'aspect de tous les plaisirs du monde contenus pour nous dans ce chapeau. – « Vingt-sept mille francs, répétait Rastignac en ajoutant quelques billets de banque au tas d'or. A d'autres cet argent suffirait pour vivre, mais nous suffira-t-il pour mourir ? » Nous partageâmes en héritiers, pièce à pièce, commençant par les doubles napoléons, allant des grosses pièces aux petites, et distillant notre joie en disant longtemps : A toi. A moi.

« Le lendemain, j'achetai des meubles chez Lesage, je louai l'appartement où tu m'as connu, rue Taitbout, et chargeai le meilleur tapissier de le décorer. J'eus des chevaux. Je me lançai dans un tourbillon de plaisirs creux et réels tout à la fois. Insensiblement je me fis des amis. Je hasardai quelques compositions littéraires qui me valurent des compliments. J'étais toujours frais, élégant. Je passais pour spirituel. Mais Fœdora n'avait pas lâché sa proie. Je lui faisais corner mon nom aux oreilles par ses amants étonnés de mon esprit, de mes chevaux, de mes succès, de mes équipages. Elle restait froide et insensible à tout, même à cette horrible phrase : il se tue pour vous ! dite par Rastignac.

«Je ne voulais plus rester seul avec moi-même. J'avais besoin de courtisanes, de faux amis, de vin, de bonne chère pour m'étourdir. Pendant les derniers jours de ma fortune, je fis chaque jour des excès incroyables ; mais, chaque matin, la mort me rejetait dans la vie. Enfin, je me trouvai seul avec une pièce de vingt francs, je me souvins alors du bonheur de Rastignac... – «Hé ! hé ! s'écria Raphaël en pensant tout à coup à son talisman qu'il tira de sa poche. Au diable la mort ! Je veux vivre maintenant ! Je suis riche, j'ai toutes les vertus. Rien ne me résistera. Qui ne serait pas bon quand il peut tout ? J'ai souhaité deux cent mille livres de rentes, je les aurai. Saluez-moi, pourceaux qui vous vautrez sur ces tapis comme sur du fumier ! Je suis riche, je peux vous acheter tous... Réveille-toi, s'écria Raphaël en frappant Emile avec la Peau de chagrin, je suis millionnaire.

– Si tu n'es pas millionnaire, tu es bien certainement ivre.

– Je puis avoir Fœdora. Mais non, je ne veux pas de Fœdora.

– Si tu continues à crier, je t'emporte dans la salle à manger.

– Vois-tu cette Peau ? C'est le testament de Salomon. Il est à moi, Salomon, ce petit cuistre de roi !

A ce mot, Emile emporta Raphaël dans la salle à manger.

– Cette peau se rétrécit quand j'ai un désir...

– Allons, il ne s'endormira pas, s'écria Emile en voyant Raphaël occupé à fureter dans la salle à manger.

Valentin animé d'une adresse de singe, grâce à cette singulière lucidité dont les phénomènes contrastent parfois chez les ivrognes avec les obtuses visions de l'ivresse, sut trouver une écritoire et une serviette, en répétant toujours : Prenons la mesure ! Prenons la mesure.

– Eh ! bien, oui, reprit Emile, prenons la mesure !

Les deux amis étendirent la serviette et y superposèrent la Peau de chagrin. Emile, dont la main semblait être plus assurée que celle de Raphaël, décrivit à la plume, par une ligne d'encre, les contours du talisman, pendant que son ami lui disait : – J'ai souhaité deux cent mille livres de rentes, n'est-il pas vrai ? Eh bien, quand je les aurai, tu verras la diminution de tout mon chagrin.

– Oui, maintenant, dors. Veux-tu que je t'arrange sur ce canapé ? Allons, es-tu bien ? Cuve ton or, millionnaire.

Bientôt les deux amis unirent leurs ronflements à la musique qui retentissait dans les salons. Concert inutile ! Les bougies s'éteignirent une à une faisant éclater leurs bobèches de cristal. La nuit enveloppa d'un crêpe cette longue orgie dans laquelle le récit de Raphaël avait été comme une orgie de paroles, de mots sans idées, et d'idées auxquelles les expressions avaient souvent manqué.

Le lendemain, vers midi, la belle Aquilina se leva, bâillant, fatiguée, et les joues marbrées par les empreintes du tabouret en velours peint sur lequel sa tête avait reposé. Insensiblement les convives se remuèrent en poussant des gémissements sinistres, ils se sentirent les bras et les jambes raidis, mille fatigues diverses les accablèrent à leur réveil. Un valet vint ouvrir les persiennes et les fenêtres des salons. Artistes et courtisanes gardèrent le silence en examinant d'un œil hagard le désordre de l'appartement. Puis, chacun se secoua. En un instant, ces spectres s'animèrent, formèrent des groupes, s'interrogèrent et sourirent. Quelques valets habiles et lestes remirent promptement les meubles et chaque chose à sa place. Un déjeuner splendide fut servi.

Au moment où cette intrépide assemblée borda la table du capitaliste, le notaire Cardot qui, la veille, avait disparu prudemment après le dîner, montra sa figure officieuse sur laquelle errait un doux sourire.

– Un instant, dit-il, j'apporte six millions à l'un de vous. (Silence profond.) Monsieur, fit-il en s'adressant à Raphaël, madame votre mère n'était-elle pas une demoiselle O'Flaharty?

– Oui, répondit Raphaël assez machinalement, *Barbe-Marie*.

– Eh! bien, monsieur, vous êtes seul et unique héritier du major O'Flaharty, décédé en août 1828, à Calcutta.

– C'est une fortune *incalcuttable!* s'écria le jugeur.

– Le major ayant disposé par testament de plusieurs sommes en faveur de quelques établissements publics, sa succession a été réclamée à la Compagnie des Indes par le gouvernement français, reprit le notaire. Elle est en ce moment liquide et palpable. Depuis quinze jours je cherchais infructueusement les ayants cause de la demoiselle Barbe-Marie O'Flaharty, lorsque hier à table...

Rendu à toute sa raison par la brusque obéissance du sort, Raphaël étendit promptement sur la table la serviette avec laquelle il avait mesuré la Peau de chagrin. Sans rien écouter, il y superposa le talisman, et frissonna violemment en voyant une petite distance entre le contour tracé sur le linge et celui de la Peau. Une horrible pâleur dessina tous les muscles de la figure de cet héritier, les saillies de son visage blanchirent, les creux devinrent sombres, le masque fut livide, et les yeux se fixèrent. Il voyait la Mort. Raphaël regarda trois fois le talisman qui jouait à l'aise dans les impitoyables lignes imprimées sur la serviette, il essayait de douter; mais un clair pressentiment anéantissait son incrédulité. Le monde lui appartenait, il pouvait tout et ne voulait plus de rien. Il voyait ce que chaque désir devait lui coûter de jours.

– Bravo! cria Taillefer. Messieurs, buvons à la puissance de l'or. Monsieur de Valentin devenu six fois millionnaire arrive au pouvoir. Il peut tout, il est au-dessus de tout, comme sont tous les riches. Pour lui, désormais, *Les Français sont égaux devant la loi* est un mensonge inscrit en tête de la Charte. Il n'obéira pas aux lois, les lois lui obéiront. Il n'y a pas d'échafaud, pas de bourreaux pour les millionnaires!

– Oui, répliqua Raphaël, ils sont eux-mêmes leurs bourreaux!

– Encore un préjugé! dit le banquier.

– Buvons, dit Raphaël en mettant le talisman dans sa poche.

Il garda le silence, but outre mesure et s'enivra pour oublier un moment sa funeste puissance.

L'agonie

Dans les premiers jours du mois de décembre, un vieillard septuagénaire allait, malgré la pluie, par la rue de Varenne en levant le nez à la porte de chaque hôtel, et cherchant l'adresse de monsieur le marquis de Valentin, avec la naïveté d'un enfant et l'air absorbé des philo-

sophes. Après avoir vérifié le numéro qui lui avait été indiqué, il frappa doucement à la porte d'un magnifique hôtel.

– Monsieur Raphaël y est-il? demanda le bonhomme à un Suisse en livrée.

– Monsieur le marquis ne reçoit personne, répondit le valet en avalant une énorme mouillette qu'il retirait d'un large bol de café. Sortez, je vous prie, je perdrais six cents francs de rente viagère si je laissais une seule fois entrer sans ordre une personne étrangère à l'hôtel.

En ce moment, un grand vieillard dont le costume ressemblait assez à celui d'un huissier ministériel sortit du vestibule et descendit précipitamment quelques marches en examinant le vieux solliciteur ébahi.

– Voici monsieur Jonathas, dit le Suisse. Parlez-lui.

Les deux vieillards, attirés l'un vers l'autre par une sympathie ou par une curiosité mutuelle, se rencontrèrent au milieu de la vaste cour d'honneur. Un silence effrayant régnait dans cet hôtel. En voyant Jonathas, vous eussiez voulu pénétrer le mystère qui planait sur sa figure, et dont parlaient les moindres choses dans cette maison morne. Le premier soin de Raphaël, en recueillant l'immense succession de son oncle, avait été de découvrir où vivait le vieux serviteur dévoué sur l'affection duquel il pouvait compter. Jonathas devint une puissance intermédiaire placée entre Raphaël et le monde entier. Il était comme un sixième sens à travers lequel les émotions de la vie arrivaient à Raphaël.

– Monsieur, je désirerais parler à monsieur Raphaël, dit le vieillard à Jonathas.

– Parler à monsieur le marquis, s'écria l'intendant. A peine m'adresse-t-il la parole, à moi son père nourricier.

– Mais je suis aussi son père nourricier, s'écria le vieil homme. Je lui ai fait sucer moi-même le sein des muses.

J'ai façonné sa cervelle, cultivé son entendement, développé son génie. Je suis son professeur.

– Ah! monsieur est monsieur Porriquet.

– Précisément. Mais monsieur...

– Chut, chut! fit Jonathas, Dieu sait ce qui tient mon maître. Voyez-vous, il n'existe pas à Paris deux maisons semblables à la nôtre. Monsieur le marquis a fait acheter cet hôtel qui appartenait précédemment à un duc et pair. Il a dépensé trois cent mille francs pour le meubler. Bon! me suis-je dit en voyant cette magnificence, le jeune marquis va recevoir la ville et la cour! Point. Monsieur n'a voulu voir personne. Il mène une drôle de vie, une vie inconciliable. Monsieur se lève tous les jours à la même heure. Il n'y a que moi, moi seul, qui puisse entrer dans sa chambre. J'ouvre à sept heures, été comme hiver. Etant entré, je lui dis: Monsieur le marquis, il faut vous réveiller et vous habiller. Il se réveille et s'habille. Le cuisinier perdrait mille écus de rente viagère qui l'attendent après la mort de monsieur, si le déjeuner ne se trouvait pas inconciliablement servi devant monsieur, à dix heures, tous les matins, et le dîner à cinq heures précises. Le menu est dressé pour l'année entière, jour par jour. Monsieur le marquis n'a rien à souhaiter. Le programme est imprimé, il sait le matin son dîner par cœur. Pour lors, il s'habille à la même heure avec les mêmes habits, le même linge, posés toujours par moi sur le même fauteuil. S'il fait beau, j'entre et je dis à mon maître: Vous devriez sortir, monsieur? Il me répond oui, ou non. S'il a idée de se promener, il n'attend pas ses chevaux, ils sont toujours attelés; le cocher reste inconciliablement, fouet en main, comme vous le voyez. Le soir, après le dîner, monsieur va un jour à l'Opéra et l'autre aux Ital... mais non, il n'est pas encore allé aux Italiens, je n'ai pu me procurer une loge qu'hier. Puis il rentre à onze heures précises pour se coucher. Pendant les intervalles de la journée où il ne fait rien, il lit, il lit toujours, voyez-vous? Une idée qu'il a. Il ne tourmente personne, il est bon comme le bon pain, jamais il ne dit mot, mais le pourquoi de tout cela? Ah! par exemple, voilà ce que personne au monde ne sait que lui et le bon Dieu. C'est inconciliable!

– Il fait un poème, s'écria le vieux professeur.

– Vous croyez, monsieur, qu'il fait un poème? C'est donc bien assujettissant, ça! Mais, voyez-vous, je ne crois pas. Il me répète souvent qu'il veut vivre comme une vergétation, en vergétant. A cette heure d'autres prétendent qu'il est *monomane*. C'est inconciliable!

– Tout me prouve, Jonathas, que votre maître s'occupe d'un grand ouvrage. Il est plongé dans de vastes méditations, et ne veut pas en être distrait par les préoccupations de la vie vulgaire. Je vais aller le voir, ce cher enfant, je peux lui être utile.

– Minute, s'écria Jonathas. Vous seriez le roi de France, l'ancien s'entend! que vous n'entreriez pas à moins de forcer les portes et de me marcher sur le corps. Mais, monsieur Porriquet, je cours lui dire que vous êtes là, et je lui demanderai comme ça: Faut-il le faire monter? Il répondra *oui* ou *non*. Jamais je ne lui dis: *Souhaitez-vous? Voulez-vous? Désirez-vous?* Ces mots-là sont rayés de la conversation. Une fois il m'en est échappé un. – Veux-tu me faire mourir? m'a-t-il dit, tout en colère.

Jonathas laissa le vieux professeur dans le vestibule, en lui faisant signe de ne pas avancer; mais il revint promptement avec une réponse favorable, et conduisit le vieil émérite à travers de somptueux appartements. Porriquet aperçut de loin son élève au coin d'une cheminée. Enveloppé d'une robe de chambre à grands dessins, et plongé dans un fauteuil à ressorts, Raphaël lisait le journal. L'extrême mélancolie à laquelle il paraissait être en proie était exprimée par l'attitude maladive de son corps affaissé; elle était peinte sur son front, sur son visage pâle comme une fleur étiolée. Il abdiquait la vie pour vivre, et dépouillait son âme de toutes les poésies du désir.

Pour mieux lutter avec la cruelle puissance dont il avait accepté le défi, il s'était fait chaste à la manière d'Origène, en châtrant son imagination. Le lendemain du jour où soudainement enrichi par un testament il avait vu décroître la Peau de chagrin, il s'était trouvé chez son notaire. Là, un médecin assez en vogue avait raconté sérieusement, au dessert, la manière dont un Suisse attaqué de pulmonie s'en était guéri. Cet homme n'avait pas dit un mot pendant dix ans, et s'était soumis à ne respirer que six fois par minute dans l'air épais d'une vacherie, en suivant un régime alimentaire extrêmement doux. Je serai cet homme! se dit en lui-même Raphaël, qui voulait vivre à tout prix. Quand le vieux professeur envisagea ce jeune cadavre, il tressaillit; tout lui semblait artificiel dans ce corps fluet et débile.

– Bonjour, père Porriquet, dit Raphaël en pressant les doigts glacés du vieillard dans une main brûlante et moite. Comment vous portez-vous?

– Mais moi je vais bien, répondit le vieillard effrayé par le contact de cette main fiévreuse. Et vous?

– Oh! j'espère me maintenir en bonne santé.

– Vous travaillez sans doute à quelque bel ouvrage?

– Non, j'ai dit adieu pour toujours à la Science. A peine sais-je où se trouve mon manuscrit.

– Le style en est pur, sans doute? demanda le professeur. Vous n'aurez pas, j'espère, adopté le langage barbare de cette nouvelle école qui croit faire merveille en inventant Ronsard. Mais mon ami, j'oubliais l'objet de ma visite. C'est une visite intéressée.

Se rappelant trop tard la verbeuse élégance et les éloquentes périphrases auxquelles un long professorat avait habitué son maître, Raphaël se repentit presque de l'avoir reçu; mais au moment où il allait souhaiter de le voir dehors, il comprima promptement son secret désir en jetant un furtif coup d'œil à la Peau de chagrin, suspendue devant lui et appliquée sur une étoffe blanche où ses contours fatidiques étaient soigneusement dessinés par une ligne rouge qui l'encadrait exactement. Raphaël étouffait le plus léger de ses caprices, et vivait de manière à ne pas causer le moindre tressaillement à ce terrible talisman. Il écouta donc patiemment les amplifications du vieux professeur. Le bonhomme, voulant un gouvernement fort, avait émis le vœu patriotique de laisser les épiciers à leurs comptoirs, les hommes d'Etat au maniement des affaires publiques, les avocats au Palais; mais un des ministres populaires du roi-citoyen l'avait banni de sa chaire en l'accusant de carlisme. Le vieillard se trouvait sans place, sans retraite et sans pain. Il venait prier son ancien élève de réclamer auprès du nouveau ministre l'emploi de proviseur dans quelque collège de province. Raphaël était en proie à une somnolence invincible, lorsque la voix du bonhomme cessa de retentir à ses oreilles.

– Eh! bien, mon bon père Porriquet, répliqua-t-il sans savoir précisément à quelle interrogation il répondait, je n'y puis rien du tout. *Je souhaite bien vivement que vous réussissiez...*

En ce moment, Raphaël se dressa. Il vit une légère ligne blanche entre le bord de la peau noire et le dessin rouge; il poussa un cri si terrible que le pauvre professeur en fut épouvanté.

– Allez, vieille bête! s'écria-t-il, vous serez nommé proviseur! Ne pourriez-vous me demander une rente viagère de mille écus plutôt qu'un souhait homicide? Votre visite ne m'aurait rien coûté. Il y a cent mille emplois en France, et je n'ai qu'une vie! Jonathas!

Jonathas parut.

– Voilà de tes œuvres, triple sot, pourquoi m'as-tu proposé de recevoir monsieur? Tu m'arraches en ce moment dix années d'existence!

La colère avait blanchi le visage de Raphaël; une légère écume sillonnait ses lèvres tremblantes, et l'expression de ses yeux était sanguinaire. A cet aspect, les deux vieillards furent saisis d'un tressaillement convulsif.

– Il est épileptique, dit Porriquet à voix basse.

Le vieillard se retira, pénétré d'horreur et en proie à de vives inquiétudes sur la santé morale de Valentin.

– Ecoute Jonathas, reprit le jeune homme, tu dois être une barrière entre le monde et moi.

– Oui, monsieur le marquis, dit le vieux valet, mais

comment ferez-vous ce soir aux Italiens? Vous avez une belle loge. Oh! une loge superbe, aux premières.

En entrant dans sa loge, le marquis aperçut Fœdora, placée à l'autre côté de la salle précisément en face de lui. La comtesse rejetait son écharpe en arrière, se découvrait le cou, faisait les petits mouvements indescriptibles d'une coquette occupée à se poser: tous les regards étaient concentrés sur elle. Une joie inexprimable anima la figure de Fœdora, quand, après avoir braqué sa lorgnette sur toutes les loges, et rapidement examiné les toilettes, elle eut la conscience d'écraser par sa parure et par sa beauté les plus jolies, les plus élégantes femmes de Paris. Tout à coup elle pâlit en rencontrant les yeux fixes de Raphaël, son amant dédaigné la foudroya par un intolérable coup d'œil de mépris. Un mot, dit par Valentin la veille à l'Opéra, était déjà devenu célèbre dans les salons de Paris. Le tranchant de cette terrible épigramme avait fait à la comtesse une blessure incurable. En France, nous savons cautériser une plaie, mais nous n'y connaissons pas encore de remède au mal que produit une phrase. Au moment où toutes les femmes regardèrent alternativement le marquis et la comtesse, Fœdora aurait voulu l'abîmer dans les oubliettes de quelque Bastille, car malgré son talent pour la dissimulation, ses rivales devinèrent sa souffrance. Enfin sa dernière consolation lui échappa. Ces mots délicieux: je suis la plus belle! cette phrase qui calmait tous les chagrins de sa vanité, devint un mensonge. Une femme vint se placer près de Raphaël, dans une loge qui jusqu'alors était restée vide. Le parterre entier laissa échapper un murmure d'admiration. L'enthousiasme se calma par degrés; cependant quelques hommes restèrent perdus dans un ravissement naïf, occupés à contempler la voisine de Raphaël. Encore en proie à la terreur qui l'avait saisi le matin, quand pour un simple vœu de politesse, le talisman s'était si promptement resserré, Raphaël résolut fermement de ne pas se retourner vers sa voisine. Assis, il présentait le dos au coin de sa loge, et dérobait avec impertinence la moitié de la scène à l'inconnue, ayant l'air de la mépriser, d'ignorer même qu'une jolie femme se trouvât derrière lui. La voisine copiait avec exactitude la posture de Valentin. Elle avait appuyé son coude sur le bord de la loge, et se mettait la tête de trois quarts. Ces deux personnes ressemblaient à deux amants brouillés qui se boudent, se tournent le dos et vont s'embrasser au premier mot d'amour. Par un caprice de la nature, ces deux êtres respirèrent ensemble et pensèrent peut-être l'un à l'autre. Raphaël se retourna brusquement ; l'inconnue fit un mouvement semblable ; leurs visages restèrent en présence.

– Pauline !

– Monsieur Raphaël !

Pétrifiés l'un et l'autre, ils se regardèrent un instant en silence.

– Oh ! venez demain, dit-elle, venez à l'hôtel Saint-Quentin, y reprendre vos papiers. J'y serai à midi. Soyez exact.

Elle se leva précipitamment et disparut. Raphaël voulut suivre Pauline, il craignit de la compromettre, resta, regarda Fœdora, la trouva laide ; mais ne pouvant comprendre une seule phrase de musique, étouffant dans cette salle, le cœur plein, il sortit et revint chez lui.

– Jonathas, dit-il au moment où il fut dans son lit, donne-moi une demi-goutte de laudanum sur un morceau de sucre, et demain ne me réveille qu'à midi moins vingt minutes.

– Je veux être aimé de Pauline, s'écria-t-il le lendemain en regardant le talisman avec une indéfinissable angoisse.

La Peau ne fit aucun mouvement, elle semblait avoir perdu sa force contractile, elle ne pouvait sans doute pas réaliser un désir déjà accompli.

– Ah! s'écria Raphaël, tu ne m'obéis donc pas, le pacte est rompu! Je suis libre, je vivrai.

En disant ces paroles, il n'osait croire à sa propre pensée. Il se mit aussi simplement qu'il l'était jadis, et voulut aller à pied à son ancienne demeure. Quand il se trouva sur le seuil usé, où, tant de fois, il avait eu des pensées de désespoir, une vieille femme sortit de la salle et lui dit: – N'êtes-vous pas monsieur Raphaël de Valentin?

– Oui, ma bonne mère, répondit-il.

– Vous connaissez votre ancien logement, reprit-elle, vous y êtes attendu.

– Cet hôtel est toujours tenu par madame Gaudin? demanda-t-il.

– Oh! non, monsieur. Maintenant madame Gaudin est baronne. Son mari est revenu. Dame! il a rapporté des mille et des cents. L'on dit qu'elle pourrait acheter tout le quartier Saint-Jacques, si elle le voulait. Elle m'a donné *gratis* son fonds et son restant de bail. Elle n'est pas plus fière aujourd'hui qu'elle ne l'était hier.

Raphaël monta lestement à sa mansarde, et quand il

atteignit les dernières marches de l'escalier, il entendit les sons du piano. Pauline était là modestement vêtue d'une robe de percaline; mais la façon de la robe, les gants, le chapeau, le châle, négligemment jetés sur le lit, révélaient toute une fortune. Raphaël vint s'asseoir près d'elle, rougissant, honteux, heureux.

– Pourquoi nous avez-vous quittées? dit-elle en baissant les yeux. Qu'êtes-vous devenu?

– Ah! Pauline, j'ai été, je suis bien malheureux encore!

– Là, s'écria-t-elle tout attendrie. J'ai deviné votre sort hier en vous voyant bien mis, riche en apparence, mais en réalité est-ce toujours comme autrefois?

Valentin ne put retenir quelques larmes, elles roulèrent dans ses yeux, il s'écria: – Pauline!... je... Il n'acheva pas, ses yeux étincelèrent d'amour, et son cœur déborda dans son regard.

– Oh! il m'aime, il m'aime, s'écria Pauline.

Raphaël fit un signe de tête, car il se sentit hors d'état de prononcer une seule parole.

A ce geste, la jeune fille lui prit la main, la serra, et lui dit tantôt riant, tantôt sanglotant: – Ta Pauline est riche. Mais moi, je devrais être bien pauvre aujourd'hui. J'ai mille fois dit que je paierais ce mot: *il m'aime*, de tous les trésors de la terre. O mon Raphaël! J'ai des milions. Tu aimes le luxe, tu seras content; mais tu dois aimer mon cœur aussi, il y a tant d'amour pour toi dans ce cœur! Tu ne sais pas? Mon père est revenu. Je suis une riche héritière. Ma mère et lui me laissent entièrement maîtresse de mon sort; je suis libre, comprends-tu?

Raphaël tenait les mains de Pauline; ils se comprirent, se serrèrent et s'embrassèrent avec cette sainte et délicieuse ferveur dont se trouve empreint un seul baiser, le premier baiser par lequel deux âmes prennent possession d'elles-mêmes.

– Ah! s'écria Pauline, je ne veux plus te quitter. Je ne sais d'où me vient tant de hardiesse! reprit-elle en rougissant.

– Tu m'aimais donc?

– Oh! Dieu, si je t'aimais! Combien de fois j'ai pleuré, là, tiens, en faisant ta chambre, déplorant ta misère et la mienne. Je me serais vendue au démon pour t'éviter un chagrin. Va, Raphaël, en t'offrant mon cœur, ma personne, ma fortune, je ne te donnerai rien de plus aujourd'hui que le jour où j'ai mis là, dit-elle en montrant le tiroir de la table, certaine pièce de cent sous.

– Moi aussi, j'ai des millions; mais que sont maintenant les richesses pour nous? Ah! j'ai ma vie, je puis te l'offrir, prends-la.

– Oh! ton amour, Raphaël, ton amour vaut le monde. Comment, ta pensée est à moi? Mais je suis la plus heureuse des heureuses.

– L'on va nous entendre, dit Raphaël.

– Hé! il n'y a personne, répondit-elle en laissant échapper un geste mutin.

– Hé! bien, viens, s'écria Valentin en lui tendant les bras.

Elle sauta sur ses genoux et joignit ses mains autour du cou de Raphaël:

– Embrassez-moi, dit-elle, pour tous les chagrins que vous m'avez donnés, pour effacer la peine que vos joies m'ont faite, pour toutes les nuits que j'ai passées à peindre mes écrans.

– Tes écrans !

– Puisque nous sommes riches, mon trésor, je puis te dire tout. Pauvre enfant ! combien il est facile de tromper les hommes d'esprit ! Est-ce que tu pouvais avoir des gilets blancs et des chemises propres deux fois par semaine, pour trois francs de blanchissage par mois ? Mais tu buvais deux fois plus de lait qu'il ne t'en revenait pour ton argent. Je t'attrapais sur tout : le feu, l'huile, et l'argent donc ? Oh ! mon Raphaël, ne me prends pas pour femme, dit-elle en riant, je suis une personne trop astucieuse.

– Mais comment faisais-tu donc ?

– Je travaillais jusqu'à deux heures du matin, répondit-elle, et je donnais à ma mère une moitié du prix de mes écrans, à toi l'autre.

Ils se regardèrent pendant un moment, tous deux hébétés de joie et d'amour.

– Oh ! s'écria Raphaël, nous paierons sans doute, un jour, ce bonheur par quelque effroyable chagrin.

– Serais-tu marié ? cria Pauline. Ah ! je ne veux te céder à aucune femme.

– Je suis libre, ma chérie.

– Libre, répéta-t-elle. Libre, et à moi !

Elle se laissa glisser sur ses genoux, joignit les mains, et regarda Raphaël avec une dévotieuse ardeur.

– Oh, s'écria-t-elle, cette belle âme, ce beau génie, ce cœur que je connais si bien, tout est à moi, comme je suis à toi.

– Pour toujours ma douce créature, dit Raphaël

d'une voix émue. Tu seras ma femme, mon bon génie. Ta présence a toujours dissipé mes chagrins et rafraîchi mon âme ; en ce moment, ton sourire angélique m'a pour ainsi dire purifié. Je crois commencer une nouvelle vie. Le passé cruel et mes tristes folies me semblent n'être plus que de mauvais songes.

– Où demeures-tu donc?

– Rue Saint-Lazare. Et toi?

– Rue de Varennes.

– Comme nous serons loin l'un de l'autre, jusqu'à ce que... Elle s'arrêta en regardant son ami d'un air coquet et malicieux.

– Mais, répondit Raphaël, nous avons tout au plus une quinzaine de jours à rester séparés.

– Vrai! dans quinze jours nous serons mariés! Elle sauta comme un enfant. Oh! je suis une fille dénaturée, reprit-elle, je ne pense plus ni à père, ni à mère, ni à rien dans le monde! Mon père est revenu des Indes, bien souffrant. Il a manqué mourir au Havre, où nous sommes allés le chercher. Ah! Dieu, s'écria-t-elle en regardant l'heure à sa montre, déjà trois heures. Je dois me trouver à son réveil, à quatre heures. Le pauvre père, c'est lui qui m'a envoyée aux Italiens hier ; tu viendras le voir demain, n'est-ce pas?

– Pauline, encore un baiser?

– Mille! Mon Dieu, dit-elle en regardant Raphaël, ce sera toujours ainsi, je crois rêver.

Ils descendirent lentement l'escalier ; puis, bien unis, marchant du même pas, tressaillant ensemble sous le poids du même bonheur, ils arrivèrent sur la place de la Sorbonne, où la voiture de Pauline attendait.

– Je veux aller chez toi, s'écria-t-elle. Je veux voir ta chambre, ton cabinet, et m'asseoir à la table sur laquelle tu travailles. Ce sera comme autrefois, ajouta-t-elle en rougissant. – Joseph, dit-elle à un valet, je vais rue de Varenne avant de retourner à la maison. Il est trois heures un quart, et je dois être revenue à quatre. Georges pressera les chevaux.

Et les deux amants furent en peu d'instants menés à l'hôtel de Valentin.

– Oh! je suis contente d'avoir examiné tout cela, s'écria Pauline en chiffonnant la soie des rideaux qui drapaient le lit de Raphaël. Quand je m'endormirai, je serai là, en pensée. Dis-moi, Raphaël, tu n'as pris conseil de personne pour meubler ton hôtel?

– De personne.

– Bien vrai? Ce n'est pas une femme qui...

– Pauline!

– Oh! je me sens une affreuse jalousie.

Il serait fastidieux de consigner fidèlement ces adorables bavardages de l'amour auxquels l'accent, le regard, un geste intraduisible donnent seuls du prix. Valentin reconduisit Pauline jusque chez elle, et revint ayant au cœur autant de plaisir que l'homme peut en ressentir et en porter ici-bas. Quand il fut assis dans son fauteuil, près de son feu, pensant à la soudaine et complète réalisation de toutes ses espérances, une idée froide lui traversa l'âme comme l'acier d'un poignard perce une poitrine, il regarda la Peau de chagrin, elle s'était légèrement rétrécie. Il prononça le grand juron français, pencha la tête sur son fauteuil et resta sans mouvement les yeux arrêtés sur une patère, sans la voir.

– Grand Dieu! s'écria-t-il. Quoi! tous mes désirs, tous! Pauvre Pauline!

Il prit un compas, mesura ce que la matinée lui avait coûté d'existence: – Je n'en ai pas pour deux mois, dit-il.

Une sueur glacée sortit de ses pores, tout à coup il obéit à un inexprimable mouvement de rage, et saisit la Peau de chagrin en s'écriant: – Je suis bien bête! Il sortit, courut, traversa les jardins, et jeta le talisman au fond d'un puits: Vogue la galère, dit-il. Au diable toutes ces sottises!

Raphaël se laissa donc aller au bonheur d'aimer, et vécut cœur à cœur avec Pauline. Leur mariage, retardé par des difficultés peu intéressantes à raconter, devait se célébrer dans les premiers jours de mars. Ils s'étaient éprouvés, ne doutaient point d'eux-mêmes, et le bonheur leur ayant révélé toute la puissance de leur affection, jamais deux âmes, deux caractères ne s'étaient aussi parfaitement unis qu'ils le furent par la passion; en s'étudiant ils s'aimèrent davantage: de part et d'autre même délicatesse, même pudeur; point de nuages dans le ciel; tour à tour les désirs de l'un faisaient la loi de l'autre. Riches tous deux, ils ne connaissaient point de caprices qu'ils ne pussent satisfaire, et partant n'avaient point de caprices.

Vers la fin du mois de février, époque à laquelle d'assez beaux jours firent croire aux joies du printemps, un matin, Pauline et Raphaël déjeunaient ensemble dans une petite serre, espèce de salon rempli de fleurs, et de plain-pied avec le jardin. Leurs têtes joyeuses s'élevaient au-dessus des narcisses, des muguets et des roses du Bengale. Dans cette serre voluptueuse et riche, les pieds foulaient une natte africaine colorée comme un tapis. Un jeune chat accroupi sur la table où l'avait attiré l'odeur du lait se laissait barbouiller de café par Pauline ; elle

éclatait de rire à chacune de ses grimaces, et débitait mille plaisanteries pour empêcher Raphaël de lire le journal, qui, dix fois déjà, lui était tombé des mains. Il abondait dans cette scène matinale un bonheur inexprimable comme tout ce qui est naturel et vrai.

En ce moment le pas lourd du jardinier dont les souliers ferrés faisaient crier le sable des allées retentit près de la serre.

– Excusez, monsieur le marquis, si je vous interromps ainsi que madame, mais je vous apporte une curiosité comme je n'en ai jamais vu. En tirant tout à l'heure un seau d'eau, j'ai amené cette singulière plante marine! La voilà! Faut, tout de même, que ce soit bien accoutumé à l'eau, car ce n'était point mouillé, ni humide. C'était sec comme du bois, et point gras du tout. Comme monsieur le marquis est plus savant que moi certainement, j'ai pensé qu'il fallait la lui apporter, et que ça l'intéresserait.

Et le jardinier montrait à Raphaël l'inexorable Peau de chagrin qui n'avait pas six pouces carrés de superficie.

— Merci, Vanière, dit Raphaël. Cette chose est très curieuse.

— Qu'as-tu, mon ange? Tu pâlis! s'écria Pauline.

— Laisse-nous, Vanière.

— Ta voix m'effraie, reprit la jeune fille, elle est singulièrement altérée. Qu'as-tu? Que sens-tu? Où as-tu mal? Tu as mal! Un médecin, cria-t-elle. Jonathas, au secours!

— Ma Pauline, tais-toi, répondit Raphaël qui recouvra son sang-froid. Sortons.

— Pourquoi cette larme? dit-elle. Laisse-la-moi boire.

— Oh! Pauline, Pauline, tu m'aimes trop.

— Il se passe en toi quelque chose d'extraordinaire, Raphaël. Sois vrai, je saurai bientôt ton secret.

— M'aimes-tu? reprit-il.

— Si je t'aime, est-ce une question?

— Eh! bien, laisse-moi, va-t'en!

La pauvre petite sortit.

— Quoi! s'écria Raphaël quand il fut seul, dans un siècle de lumières où nous avons appris que les diamants sont les cristaux du carbone, à une époque où tout s'explique, où la police traduirait un nouveau Messie devant les tribunaux et soumettrait ses miracles à l'Académie des Sciences, je croirais, moi! à une espèce de Mané, Thekel, Pharès? Non, de par Dieu! je ne penserai pas que l'Etre-Suprême puisse trouver du plaisir à tourmenter une honnête créature. Allons voir les savants.

Il arriva bientôt, entre la Halle aux vins, immense recueil de tonneaux, et la Salpêtrière, immense séminaire d'ivrognerie, devant une petite mare où s'ébaudissaient des canards remarquables par la rareté des espèces et dont les ondoyantes couleurs, semblables aux vitraux d'une cathédrale, pétillaient sous les rayons du soleil. Tous les canards du monde étaient là, criant, barbotant, grouillant.

– Voilà monsieur Lavrille, dit un porte-clefs à Raphaël qui avait demandé ce grand pontife de la zoologie.

Le marquis vit un petit homme profondément enfoncé dans quelques sages méditations à l'aspect de deux canards. Ce savant, entre deux âges, avait une physionomie douce, encore adoucie par un air obligeant. Raphaël, après quelques premières phrases de politesse, crut nécessaire d'adresser à monsieur Lavrille un compliment banal sur ses canards.

– Oh! nous sommes riches en canards, répondit le naturaliste. Ce genre est d'ailleurs, comme vous le savez sans doute, le plus fécond de l'ordre des palmipèdes. Il commence au cygne, et finit au canard zinzin, en comprenant cent trente-sept variétés d'individus bien distincts, ayant leurs noms, leurs mœurs, leur patrie, leur physionomie, et qui ne se ressemblent pas plus entre eux qu'un blanc ne ressemble à un nègre. Je m'occupe en ce moment de la monographie du genre canard. Mais je suis à vos ordres.

En se dirigeant vers une assez jolie maison de la rue de Buffon, Raphaël soumit la Peau de chagrin aux investigations de monsieur Lavrille.

– Je connais ce produit, répondit le savant après avoir braqué sa loupe sur le talisman ; il a servi à quelque dessus de boîte. Le chagrin est fort ancien ! Aujourd'hui les gaîniers préfèrent se servir de galuchat. La galuchat est, comme vous le savez sans doute, la dépouille du raja sephen, un poisson de la mer Rouge...

– Mais ceci, monsieur, puisque vous avez l'extrême bonté...

– Ceci, reprit le savant en interrompant, est autre chose : entre le galuchat et le chagrin, il y a, monsieur, toute la différence de l'océan à la terre, du poisson à un quadrupède. Cependant la peau du poisson est plus dure que la peau de l'animal terrestre. Ceci, dit-il en montrant le talisman, est, comme vous le savez sans doute, un des produits les plus curieux de la zoologie.

– Voyons, s'écria Raphaël.

– Monsieur, répondit le savant en s'enfonçant dans son fauteuil, ceci est une peau d'âne.

– Je le sais, dit le jeune homme.

– Il existe en Perse, reprit le naturaliste, un âne extrêmement rare, l'onagre des anciens, equus asinus, le koulan des Tatars, Pallas est allé l'observer, et l'a rendu à la science. En effet, cet animal avait longtemps passé pour fantastique. Il est, comme vous le savez, célèbre dans l'Ecriture sainte ; Moïse avait défendu de l'accoupler avec ses congénères. Le Muséum ne possède pas d'onagre. Quel superbe animal! reprit le savant. C'est le roi zoologique de l'Orient. Les superstitions turques et persanes lui donnent même une mystérieuse origine, et le nom de Salomon se mêle aux récits que les conteurs du Thibet et de la Tartarie font sur les prouesses attribuées à ces nobles animaux. Nous varions sur l'origine du nom. Les uns prétendent que Chagri est un mot turc, d'autres veulent que Chagri soit la ville où cette dépouille zoologique subit une préparation chimique assez bien décrite par Pallas, et qui lui donne le grain particulier que nous admirons; monsieur Martellens m'a écrit que Châagri est un ruisseau.

– Monsieur, je vous remercie de m'avoir donné des renseignements qui fourniraient une admirable note à quelque Dom Calmet, si les bénédictins existaient encore; mais j'ai eu l'honneur de vous faire observer que ce fragment était primitivement d'un volume égal... à cette carte géographique, dit Raphaël en montrant à Lavrille un atlas ouvert: or depuis trois mois elle s'est sensiblement contractée...

– Bien, reprit le savant, je comprends. Monsieur, toutes les dépouilles d'êtres primitivement organisés sont sujettes à un dépérissement naturel, facile à concevoir, et dont les progrès sont soumis aux influences atmosphériques. Les métaux eux-mêmes se dilatent ou se resserrent d'une manière sensible, car les ingénieurs ont observé des espaces assez considérables entre de grandes pierres primitivement maintenues par des barres de fer. La science est vaste, la vie humaine est bien courte. Aussi n'avons-nous pas la prétention de connaître tous les phénomènes de la nature.

– Monsieur, reprit Raphaël presque confus, excusez la demande que je vais vous faire. Etes-vous bien sûr que cette Peau soit soumise aux lois ordinaires de la zoologie, qu'elle puisse s'étendre?

– Oh! certes. Ah! peste, dit monsieur Lavrille en essayant de tirer le talisman. Mais, monsieur, reprit-il, si vous voulez aller voir Planchette, le célèbre professeur de mécanique, il trouvera certainement un moyen d'agir sur cette Peau, de l'amollir, de la distendre.

– Oh! monsieur, vous me sauvez la vie.

Raphaël salua le savant naturaliste, et courut chez Planchette, en laissant le bon Lavrille au milieu de son cabinet rempli de bocaux et de plantes séchées.

Planchette était un grand homme sec, véritable poète perdu dans une perpétuelle contemplation, occupé à regarder toujours un abîme sans fond, le mouvement. Le vulgaire taxe de folie ces esprits sublimes, gens incompris qui vivent dans une admirable insouciance du luxe et du monde, restant des journées entières à fumer un cigare éteint, ou venant dans un salon sans avoir toujours bien exactement marié les boutons de leurs vêtements avec les boutonnières.

Raphaël surprit le mécanicien planté sur ses deux jambes, comme un pendu tombé droit sous sa potence. Planchette examinait une bille d'agate qui roulait sur un cadran solaire, en attendant qu'elle s'y arrêtât. Le pauvre homme n'était ni décoré, ni pensionné, car il ne savait pas enluminer ses calculs. Heureux de vivre à l'affût d'une découverte, il ne pensait ni à la gloire, ni au monde, ni à lui-même, et vivait dans la science, pour la science.

Raphaël tira le savant de sa rêverie en lui demandant le moyen d'agir sur le talisman, qu'il lui présenta.

– Dussiez-vous rire de ma crédulité, monsieur, dit le marquis en terminant, je ne vous cacherai rien. Cette Peau me semble posséder une force de résistance contre laquelle rien ne peut prévaloir.

– Monsieur, dit le savant, les gens du monde traitent toujours la Science assez cavalièrement, tous nous disent à peu près ce qu'un incroyable disait à Lalande en lui amenant des dames après l'éclipse : «Ayez la bonté de recommencer.» Quel effet voulez-vous produire? La Mécanique a pour but d'appliquer les lois du mouvement ou de les neutraliser. Quant au mouvement lui-même, je vous le déclare avec humilité, nous sommes impuissants à le définir. Cela posé, nous avons remarqué quelques phénomènes constants qui régissent l'action des solides et des fluides. En reproduisant les causes génératrices de ces phénomènes, nous pouvons transporter les corps, leur transmettre une force locomotive dans des rapports de vitesse déterminée, les lancer, les diviser simplement ou à l'infini, soit que nous les cassions ou les pulvérisions ; puis les tordre, leur imprimer une rotation, les modifier, les comprimer, les dilater, les étendre. Cette science, monsieur, repose sur un seul fait. Vous voyez cette bille, reprit-il. Elle est ici sur cette pierre. La voici maintenant là. De quel nom appellerons-nous cet acte si physiquement naturel et si moralement extraordinaire? Mouvement, locomotion, changement de lieu? Il existe, monsieur, des modes infinis, des combinaisons sans bornes dans le mouvement. A quel effet vous arrêtez-vous?

– Monsieur, dit Raphaël impatienté, je désire une pression quelconque assez forte pour étendre indéfiniment cette Peau...

– La substance étant finie, répondit le mathématicien, ne saurait être indéfiniment distendue, mais la compression multipliera nécessairement l'étendue de sa surface aux dépens de l'épaisseur; elle s'amincira jusqu'à ce que la matière manque...

– Obtenez ce résultat, monsieur, s'écria Raphaël, et vous aurez gagné des millions.

– Je vous volerais votre argent, répondit le professeur avec le flegme d'un Hollandais. Je vais vous démontrer en deux mots l'existence d'une machine sous laquelle Dieu lui-même serait écrasé comme une mouche.

Tout entier à son idée, Planchette prit un pot de fleurs vide, troué dans le fond et l'apporta sur la dalle du gnomon; puis il alla chercher un peu de terre glaise dans un coin du jardin. Raphaël resta charmé comme un enfant auquel sa nourrice conte une histoire merveilleuse. Après avoir posé sa terre glaise sur la dalle, Planchette tira de sa poche une serpette, coupa deux branches de sureau, et se mit à les vider en sifflant comme si Raphaël n'eût pas été là.

– Voilà les éléments de la machine, dit-il.

Il attacha par un coude en terre glaise un de ses tuyaux de bois au fond du pot, de manière à ce que le trou de sureau correspondît à celui du vase. Vous eussiez dit d'une énorme pipe. Il étala sur la dalle un lit de glaise en lui donnant la forme d'une pelle, assit le pot de fleurs dans la partie la plus large, et fixa la branche de sureau sur la portion qui représentait le manche. Enfin il mit un pâté de terre glaise à l'extrémité du tube en sureau, il y planta l'autre branche creuse, tout droit, en pratiquant un autre coude pour la joindre à la branche horizontale, en sorte que l'air, ou tel fluide ambiant donné, pût circuler dans cette machine improvisée, et courir depuis l'embouchure du tube vertical, à travers le canal intermédiaire, jusque dans le grand pot de fleurs vide.

– Monsieur, cet appareil, dit-il à Raphaël avec le sérieux d'un académicien prononçant son discours de réception, est un des plus beaux titres du grand Pascal à notre admiration.

– Je ne comprends pas.

Le savant sourit. Il alla détacher d'un arbre fruitier une petite bouteille dans laquelle son pharmacien lui avait envoyé une liqueur où se prenaient les fourmis ; il en cassa le fond, se fit un entonnoir, l'adapta soigneusement au trou de la branche creuse qu'il avait fixée verticalement dans l'argile, en opposition au grand réservoir figuré par le pot de fleurs ; puis, au moyen d'un arrosoir, il y versa la quantité d'eau nécessaire pour qu'elle se trouvât également à bord et dans le grand vase et dans la petite embouchure circulaire du sureau. Raphaël pensait à sa Peau de chagrin.

– Monsieur, dit le mécanicien, l'eau passe encore aujourd'hui pour un corps incompressible, n'oubliez pas ce principe fondamental, néanmoins elle se comprime, mais si légèrement, que nous devons compter sa faculté contractile comme zéro. Vous voyez la surface que présente l'eau arrivée à la superficie du pot de fleurs.

– Oui, monsieur.

– Eh ! bien, supposez cette surface mille fois plus étendue que ne l'est l'orifice du bâton de sureau par lequel j'ai versé le liquide. Tenez, j'ôte l'entonnoir.

– D'accord.

– Hé ! bien, monsieur, si par un moyen quelconque j'augmente le volume de cette masse en introduisant encore de l'eau par l'orifice du petit tuyau, le fluide, contraint d'y descendre, montera dans le réservoir figuré par le pot de fleurs jusqu'à ce que le liquide arrive à un même niveau dans l'un et dans l'autre...

– Cela est évident, s'écria Raphaël.

– Mais il y a cette différence, reprit le savant, que si la mince colonne d'eau ajoutée dans le petit tube vertical y présente une force égale au poids d'une livre par exemple, comme son action se transmettra fidèlement à la masse liquide et viendra réagir sur tous les points de la surface qu'elle présente dans le pot de fleurs, il s'y trouvera mille colonnes d'eau qui, tendant toutes à s'élever comme si elles étaient poussées par une force égale à celle qui fait descendre le liquide dans le bâton de sureau vertical, produiront nécessairement ici, dit Planchette en montrant à Raphaël l'ouverture du pot de fleurs, une puissance mille fois plus considérable que la puissance introduite là. Maintenant, dit Planchette en donnant une chiquenaude à ses bâtons, remplaçons ce petit appareil grotesque par des tubes métalliques d'une force et d'une dimension convenables, si vous couvrez d'une forte platine mobile la surface fluide du grand réservoir, et qu'à cette platine vous en opposiez une autre dont la résistance et la solidité soient à toute épreuve, si de plus vous m'accordez la puissance d'ajouter sans cesse de l'eau par le petit tube vertical à la masse liquide, l'objet, pris entre les deux plans solides, doit nécessairement céder à l'immense action qui le comprime indéfiniment. Deux pistons et quelques soupapes suffisent. Concevez-vous alors, mon cher monsieur, dit-il en prenant le bras de Valentin, qu'il n'existe guère de substance qui, mise entre ces deux résistances indéfinies, ne soit contrainte à s'étaler.

– Quoi ! l'auteur des *Lettres provinciales* a inventé... s'écria Raphaël.

– Lui seul, monsieur. La Mécanique ne connaît rien de plus simple ni de plus beau. Le principe contraire, l'expansibilité de l'eau a créé la vapeur. Mais l'eau n'est expansible qu'à un certain degré, tandis que son incompressibilité, étant une force en quelque sorte négative, se trouve nécessairement infinie.

– Si cette Peau s'étend, dit Raphaël, je vous promets d'élever une statue colossale à Blaise Pascal, de fonder un prix de cent mille francs pour le plus beau problème de mécanique résolu dans chaque période de dix ans, de doter vos cousines, arrière-cousines, enfin de bâtir un hôpital destiné aux mathématiciens devenus fous ou pauvres.

– Ce serait fort utile, dit Planchette. Monsieur, reprit-il avec le calme d'un homme vivant dans une sphère tout intellectuelle, nous irons demain chez Spieghalter. Ce mécanicien distingué vient de fabriquer, d'après mes plans, une machine perfectionnée avec laquelle un enfant pourrait faire tenir mille bottes de foin dans son chapeau.

– A demain, monsieur.

– A demain.

– Parlez-moi de la Mécanique! s'écria Raphaël. N'est-ce pas la plus belle des sciences? L'autre avec ses onagres, ses classements, ses canards, ses genres et ses bocaux pleins de monstres, est tout au plus bon à marquer les points dans un billard public.

Le lendemain, Raphaël tout joyeux vint chercher Planchette, et ils allèrent ensemble dans la rue de la Santé, nom de favorable augure. Chez Spieghalter, le jeune homme se trouva dans un établissement immense, ses regards tombèrent sur une multitude de forges rouges et rugissantes. C'était une pluie de feu, un déluge de clous, un océan de pistons, de vis, de leviers, de traverses, de limes, d'écrous, une mer de fontes, de bois, de soupapes et d'aciers en barres.

Planchette glissa lui-même la Peau de chagrin entre les deux platines de la presse souveraine, et, plein de cette sécurité que donnent les convictions scientifiques, il manœuvra vivement le balancier.

– Couchez-vous tous, nous sommes morts, cria Spieghalter d'une voix tonnante en se laissant tomber lui-même à terre.

Un sifflement horrible retentit dans les ateliers. L'eau contenue dans la machine brisa la fonte, produisit un jet d'une puissance incommensurable, et se dirigea heureusement sur une vieille forge qu'elle renversa, bouleversa, tordit comme une trombe entortille une maison et l'emporte avec elle.

– Oh! dit tranquillement Planchette, le Chagrin est sain comme mon œil! Maître Spieghalter, il y avait une paille dans votre fonte, ou quelque interstice dans le grand tube.

– Non, non, je connais ma fonte. Monsieur peut remporter son outil, le diable est logé dedans.

L'Allemand saisit un marteau de forgeron, jeta la Peau sur une enclume, et, de toute la force que donne la colère, déchargea sur le talisman le plus terrible coup qui jamais eût mugi dans ses ateliers.

– Il n'y paraît seulement pas, s'écria Planchette en caressant le chagrin rebelle.

Les ouvriers accoururent. Le contre maître prit la Peau et la plongea dans le charbon de terre d'une forge.

Tous rangés en demi-cercle autour du feu, attendirent avec impatience le jeu d'un énorme soufflet. Raphaël, Spieghalter, le professeur Planchette occupaient le centre de cette foule noire et attentive. En voyant tous ces yeux blancs, ces têtes poudrées de fer, ces vêtements noirs et luisants, ces poitrines poilues, Raphaël se crut transporté dans le monde nocturne et fantastique des ballades allemandes. Le contre maître saisit la Peau avec des pinces après l'avoir laissée dans le foyer pendant dix minutes.

– Rendez-la-moi, dit Raphaël.

Le contre maître la présenta par plaisanterie à Raphaël. Le marquis mania facilement la Peau froide et souple sous ses doigts. Un cri d'horreur s'éleva, les ouvriers s'enfuirent.

En rentrant chez lui, Valentin était en proie à une rage froide; il ne croyait plus à rien, ses idées se brouillaient dans sa cervelle, tournoyaient et vacillaient comme celles de tout homme en présence d'un fait impossible. Il avait cru volontiers à quelque défaut secret dans la machine de Spieghalter, l'impuissance de la science et du feu ne l'étonnait pas; mais la souplesse de la Peau quand il la maniait, mais sa dureté lorsque les moyens de destruction mis à la disposition de l'homme étaient dirigés sur elle, l'épouvantaient. Ce fait incontestable lui donnait le vertige.

– Je suis fou, se dit-il. Quoique depuis ce matin je sois à jeun, je n'ai ni faim ni soif, et je sens dans ma poitrine un foyer qui me brûle.

Il remit la Peau de chagrin dans le cadre où elle avait été naguère enfermée; et, après avoir décrit par une ligne d'encre rouge le contour actuel du talisman, il s'assit dans son fauteuil.

– Ah! Pauline, s'écria-t-il, pauvre enfant! Il y a des abîmes que l'amour ne saurait franchir, malgré la force de ses ailes. En ce moment il entendit très distinctement un soupir étouffé, et reconnut par un des plus touchants privilèges de la passion le souffle de sa Pauline. Oh! se dit-il, voilà mon arrêt. Si elle était là, je voudrais mourir dans ses bras.

Un éclat de rire bien franc, bien joyeux, lui fit tourner la tête vers son lit, il vit à travers les rideaux diaphanes la figure de Pauline souriant comme un enfant heureux d'une malice qui réussit; ses beaux cheveux formaient des milliers de boucles sur ses épaules; elle était là semblable à une rose du Bengale sur un monceau de roses blanches.

– J'ai séduit Jonathas, dit-elle. Ce lit ne m'appartient-il pas, à moi qui suis ta femme? Ne me gronde pas, chéri, je ne voulais que dormir près de toi, te surprendre. Pardonne-moi cette folie. Elle sauta hors du lit, se montra radieuse dans ses mousselines, et s'assit sur les genoux de Raphaël: De quel abîme parlais-tu donc, mon amour? dit-elle en laissant voir sur son front une expression soucieuse.

– De la mort.

– Tu me fais mal, répondit-elle. Il y a certaines idées auxquelles, nous autres, pauvres femmes, nous ne pouvons nous arrêter, elles nous tuent. Est-ce force d'amour ou manque de courage? Je ne sais. La mort ne m'effraie pas, reprit-elle en riant. Mourir avec toi, demain matin, ensemble, dans un dernier baiser, ce serait un bonheur.

– Tu as raison, le ciel parle par ta jolie bouche. Donne que je la baise, et mourons, dit Raphaël.

– Mourons donc, répondit-elle en riant.

Vers les neuf heures du matin, le jour passait à travers les fentes des persiennes ; amoindri par la mousseline des rideaux, il permettait encore de voir les riches couleurs du tapis et les meubles soyeux de la chambre où reposaient les deux amants. Quelques dorures étincelaient. Un rossignol vint se poser sur l'appui de la fenêtre, ses gazouillements répétés, le bruit de ses ailes soudainement déployées quand il s'envola, réveillèrent Raphaël.

– Pour mourir, dit-il en achevant une pensée commencée dans son rêve, il faut que mon organisation, ce mécanisme de chair et d'os animé par ma volonté, et qui fait de moi un individu homme, présente une lésion sensible. Les médecins doivent connaître les symptômes de la vitalité attaquée, et pouvoir me dire si je suis en santé ou malade.

Il contempla sa femme endormie qui lui tenait la tête, exprimant ainsi pendant le sommeil les tendres sollicitudes de l'amour. Gracieusement étendue comme un jeune enfant et le visage tourné vers lui, Pauline semblait le regarder encore en lui tendant une jolie bouche entr'ouverte par un souffle égal et pur. Ses petites dents de porcelaine relevaient la rougeur de ses lèvres fraîches sur lesquelles errait un sourire. Son profil se détachait vivement sur la fine batiste des oreillers, de grosses ruches de dentelles mêlées à ses cheveux en désordre lui donnaient un petit air mutin. Raphaël attendri contempla cette chambre chargée d'amour, pleine de souvenirs, où le jour prenait des teintes voluptueuses, et revint à cette femme aux formes pures, jeunes, aimante encore, dont surtout les sentiments étaient à lui sans partage. Il désira vivre toujours. Quand son regard tomba sur Pauline, elle ouvrit aussitôt les yeux comme si un rayon de soleil l'eût frappée.

– Bonjour, ami, dit-elle en souriant. Es-tu beau, méchant !

– Pourquoi t'es-tu réveillée ! dit Raphaël. J'avais tant de plaisir à te voir endormie, j'en pleurais.

– Et moi aussi, répondit-elle, j'ai pleuré cette nuit en te contemplant dans ton repos, mais non pas de joie. Ecoute, mon Raphaël, écoute-moi ? Lorsque tu dors, ta respiration n'est pas franche, il y a dans ta poitrine quelque chose qui résonne, et qui m'a fait peur. Tu as pendant ton sommeil une petite toux sèche, absolument semblable à celle de mon père qui meurt d'une phtisie. J'ai reconnu dans le bruit de tes poumons quelques-uns des effets bizarres de cette maladie. Puis tu avais la fièvre, j'en suis sûre, dit-elle en frissonnant, tu pourrais te guérir encore si, par malheur... Mais non, s'écria-t-elle joyeusement, il n'y a pas de malheur, la maladie se gagne, disent les médecins. De ses deux bras, elle enlaça Raphaël, saisit sa respiration par un de ces baisers dans lesquels l'âme arrive : – Je ne désire pas vivre vieille, dit-elle. Mourons jeunes tous les deux, et allons dans le ciel les mains pleines de fleurs.

– Ces projets-là se font toujours quand nous sommes en bonne santé, répondit Raphaël en plongeant ses mains dans la chevelure de Pauline ; mais il eut alors un horrible accès de toux, de ces toux graves et sonores qui semblent sortir d'un cercueil, qui font pâlir le front des malades et les laissent tremblants, tout en sueur, après avoir remué leurs nerfs, ébranlé leurs côtes, fatigué leurs moelle épinière, et imprimé je ne sais quelle lourdeur à leurs veines. Raphaël abattu, pâle, se coucha lentement, affaissé comme un homme dont toute la force s'est dissipée dans un dernier effort. Pauline le regarda d'un œil fixe, agrandi par la peur, et resta immobile, blanche, silencieuse.

– Ne faisons plus de folies, mon ange, dit-elle en voulant cacher à Raphaël les horribles pressentiments qui l'agitaient.

Elle se voila la figure de ses mains, car elle apercevait le hideux squelette de la mort.

La tête de Raphaël était devenue livide et creuse comme un crâne arraché aux profondeurs d'un cimetière pour servir aux études de quelque savant. Pauline se souvenait de l'exclamation échappée la veille à Valentin, et se dit à elle-même : – Oui, il y a des abîmes que l'amour ne peut pas traverser, mais il doit s'y ensevelir.

Quelques jours après cette scène de désolation, Raphaël se trouva par une matinée du mois de mars assis dans un fauteuil, entouré de quatre médecins qui l'avaient fait placer au jour devant la fenêtre de sa chambre, et tour à tour lui tâtaient le pouls, le palpaient, l'interrogeaient avec une apparence d'intérêt. Le malade épiait leurs pensées en interprétant et leurs gestes et les moindres plis qui se formaient sur leurs fronts. Cette consultation était sa dernière espérance. Aussi, pour arracher à la science humaine son dernier mot, Valentin avait-il convoqué les oracles de la médecine moderne. Grâce à sa fortune et à son nom, les trois systèmes entre lesquels flottent les connaissances humaines étaient là devant lui. Trois de ces docteurs portaient avec eux toute la philosophie médicale, en représentant le combat que se livrent la Spiritualité, l'Analyse et je ne sais quel Eclectisme railleur. Le quatrième médecin était Horace Bianchon, homme plein d'avenir et de science, le plus distingué peut-être des nouveaux médecins. Ami du marquis et de Rastignac, il lui avait donné des soins depuis quelques jours, et l'aidait à répondre aux interrogations des trois professeurs auxquels il expliquait parfois, avec une sorte d'insistance, les diagnostics qui lui semblaient révéler une phtisie pulmonaire.

– Vous avez sans doute fait beaucoup d'excès, mené une vie dissipée, vous vous êtes livré à de grands travaux d'intelligence? dit à Raphaël celui des trois célèbres docteurs dont la tête carrée, la figure large, l'énergique organisation, paraissaient annoncer un génie supérieur à celui de ses deux antagonistes.

– J'ai voulu me tuer par la débauche après avoir travaillé pendant trois ans à un vaste ouvrage dont vous vous occuperez peut-être un jour, lui répondit Raphaël.

Le grand docteur hocha la tête en signe de contentement, et comme s'il se fût dit en lui-même : – J'en étais sûr !

Ce docteur était l'illustre Brisset, le chef des organistes, le successeur des Cabanis et des Bichat, le médecin des esprits positifs et matérialistes, qui voit en l'homme un être fini, uniquement sujet aux lois de sa propre organisation, et dont l'état normal ou les anomalies délétères s'expliquent par des causes évidentes.

A cette réponse, Brisset regarda silencieusement un

homme de moyenne taille dont le visage empourpré, l'œil ardent, semblaient appartenir à quelque satyre antique, et qui, le dos appuyé sur le coin de l'embrasure, contemplait attentivement Raphaël sans mot dire. Homme d'exaltation et de croyance, le docteur Caméristus voyait dans la vie humaine un principe élevé, un phénomène inexplicable qui se joue des bistouris, trompe la chirurgie, échappe aux médicaments de la pharmaceutique, aux x de l'algèbre, aux démonstrations de l'anatomie, et se rit de nos efforts.

Un sourire sardonique errait sur les lèvres du troisième, le docteur Maugredie, esprit distingué, mais pyrrhonien et moqueur, qui trouvait du bon dans toutes les théories, n'en adoptait aucune, prétendait que le meilleur système médical était de n'en point avoir, et de s'en tenir aux faits.

A force d'examiner les trois docteurs, Valentin ne découvrit en eux aucune sympathie pour ses maux. Tous trois, silencieux à chaque réponse, le toisaient avec indifférence et le questionnaient sans le plaindre. La nonchalance perçait à travers leur politesse. Après être restés pendant une demi-heure environ à prendre en quelque sorte la mesure de la maladie et du malade, comme un tailleur prend la mesure d'un habit, ils dirent quelques lieux communs, parlèrent même des affaires publiques; puis ils voulurent passer dans le cabinet de Raphaël pour se communiquer leurs idées et rédiger la sentence.

– Messieurs, leur dit Valentin, ne puis-je donc assister au débat?

A ces mots, Brisset et Maugredie se récrièrent vivement, et, malgré les insistances de leur malade, ils se refusèrent à délibérer en sa présence. Raphaël se soumit à l'usage en pensant qu'il pouvait se glisser dans un couloir d'où il entendrait facilement les discussions médicales auxquelles les trois professeurs allaient se livrer.

– Messieurs, dit Brisset en entrant, permettez-moi de vous donner promptement mon avis. Le sujet qui nous occupe est fatigué par des travaux intellectuels... Qu'a-t-il donc fait, Horace? dit-il en s'adressant au jeune médecin.

– Une théorie de la volonté.

– Ah! diable, mais c'est un vaste sujet. Il est fatigué, dis-je, par des excès de pensée, par des écarts de régime, par l'emploi répété de stimulants trop énergiques. L'action violente du corps et du cerveau a donc vicié le jeu de tout l'organisme. Il est facile, messieurs, de reconnaître, dans les symptômes de la face et du corps, une irritation prodigieuse à l'estomac, la névrose du grand sympathique, la vive sensibilité de l'épigastre, et le resserrement des hypocondres. Vous avez remarqué la grosseur et la saillie du foie. Enfin monsieur Bianchon a constamment observé les digestions de son malade, et nous a dit qu'elles étaient difficiles, laborieuses. A proprement parler, il n'existe plus d'estomac; l'homme a disparu. L'intellect est atrophié parce que l'homme ne digère plus. L'altération progressive de l'épigastre, centre de la vie, a vicié tout le système. De là partent des irradiations constantes et flagrantes, le désordre a gagné le cerveau par le plexus nerveux, d'où l'irritation excessive de cet organe. Il y a monomanie. Le malade est sous le poids d'une idée fixe. Pour lui cette Peau de chagrin se rétrécit réellement, peut-être a-t-elle toujours été comme nous l'avons vue; mais, qu'il se contracte ou non, ce chagrin est pour lui la mouche que certain grand vizir avait sur le nez. Mettez promptement des sangsues à l'épigastre, calmez l'irritation de cet organe où l'homme tout entier réside, tenez le malade au régime, la monomanie cessera.

– Notre savant collègue prend l'effet pour la cause, répondit Caméristus. Oui, les altérations si bien observées par lui existent chez le malade, mais l'estomac n'a pas graduellement établi des irritations dans l'organisme et vers le cerveau, comme une fêlure étend autour d'elle des rayons dans une vitre. Le mouvement n'est pas venu de l'épigastre au cerveau, mais du cerveau vers l'épigastre. Non, dit-il en se frappant avec force la poitrine, non, je ne suis pas un estomac fait homme! Non, tout n'est pas là. Je ne me sens pas le courage de dire que si j'ai un bon épigastre, le reste est de forme. Ici donc, je voudrais un traitement tout moral, un examen approfondi de l'être intime. Allons chercher la cause du mal dans les entrailles de l'âme et non dans les entrailles du corps!

– Toujours sa médecine absolutiste, monarchique et religieuse, dit Brisset en murmurant.

– Messieurs, reprit promptement Maugredie en couvrant avec promptitude l'exclamation de Brisset, ne perdons pas de vue le malade...

– Voilà donc où en est la science! s'écria tristement Raphaël. Ma guérison flotte entre un rosaire et un chapelet de sangsues, entre le bistouri de Dupuytren et la prière du prince de Hohenlohe. Sur la ligne qui sépare le fait de la parole, la matière de l'esprit, Maugredie est là, doutant. Le oui et non humain me poursuit partout! Toujours le Carymary, Carymara de Rabelais: je suis spirituellement malade, carymary! ou matériellement malade, carymara! Dois-je vivre? Ils l'ignorent.

En ce moment, Valentin entendit la voix du docteur Maugredie.

– Le malade est monomane, eh! bien, d'accord, s'écria-t-il, mais il a deux cent mille livres de rente, ces monomanes-là sont fort rares, et nous leur devons au moins un avis. Quant à savoir si son épigastre a réagi sur le cerveau, ou le cerveau sur son épigastre, nous pourrons peut-être vérifier le fait, quand il sera mort. Résumons-nous donc. Il est malade, le fait est incontestable. Il lui faut un traitement quelconque. Laissons les doctrines. Mettons-lui des sangsues pour calmer l'irritation intestinale et la névrose sur l'existence desquelles nous sommes d'accord, puis envoyons-le aux eaux: nous agirons à la fois d'après les deux systèmes. S'il est pulmonique, nous ne pouvons guère le sauver, ainsi...

Raphaël quitta promptement le couloir et vint se remettre dans son fauteuil. Bientôt les quatre médecins sortirent du cabinet. Horace porta la parole et lui dit:

– Ces messieurs ont unanimement reconnu la nécessité d'une application immédiate de sangsues à l'estomac, et l'urgence d'un traitement à la fois physique et moral. D'abord un régime diététique, afin de calmer l'irritation de votre organisme.

Ici Brisset fit un signe d'approbation.

– Puis, un régime hygiénique pour régir votre moral. Ainsi nous vous conseillons unanimement d'aller aux eaux d'Aix en Savoie, ou à celles du Mont-Dore en Auvergne, si vous les préférez; l'air et les sites de la Savoie sont plus agréables que ceux du Cantal, mais vous suivrez votre goût. Là, le docteur Caméristus laissa échapper un geste d'assentiment.

– Ces messieurs, reprit Bianchon, ayant reconnu de légères altérations dans l'appareil respiratoires, sont tombés d'accord sur l'utilité de mes prescriptions antérieures. Ils pensent que votre guérison est facile et dépendra de l'emploi sagement alternatif de ces divers moyens... Et...

– Et voilà pourquoi votre fille est muette, dit Raphaël en souriant et en attirant Horace dans son cabinet pour lui remettre le prix de cette inutile consultation.

– Ils sont logiques, lui répondit le jeune médecin. Caméristus sent, Brisset examine, Maugredie doute. L'homme n'a-t-il pas une âme, un corps et une raison? L'une de ces trois causes premières agit en nous d'une manière plus ou moins forte, et il y aura toujours de l'homme dans la science humaine. Crois-moi, Raphaël, nous ne guérissons pas, nous aidons à guérir.

Un mois après, au retour de la promenade et par une belle soirée d'été, quelques-unes des personnes venues aux eaux d'Aix se trouvèrent réunies dans les salons du Cercle. Assis près d'une fenêtre et tournant le dos à l'assemblée, Raphaël resta longtemps seul, plongé dans une de ces rêveries machinales durant lesquelles nos pensées naissent, s'enchaînent, s'évanouissent sans revêtir de formes, et passent en nous comme de légers nuages à peine colorés. La tristesse est alors douce, la joie est vaporeuse, et l'âme est presque endormie. Se laissant aller à cette vie sensuelle, Valentin se baignait dans la tiède atmosphère du soir en savourant l'air pur et parfumé des montagnes, heureux de ne sentir aucune douleur et d'avoir enfin réduit au silence sa menaçante Peau de chagrin. Au moment où les teintes rouges du couchant s'éteignirent sur les cimes, la température fraîchit, il quitta sa place en poussant la fenêtre.

– Monsieur, lui dit une vieille dame, auriez-vous la complaisance de ne pas fermer la croisée? Nous étouffons.

Cette phrase déchira le tympan de Raphaël par des dissonances d'une aigreur singulière; elle fut comme le mot que lâche imprudemment un homme à l'amitié duquel nous voulions croire, et qui détruit quelque douce illusion de sentiment en trahissant un abîme d'égoïsme. Le marquis jeta sur la vieille dame le froid regard d'un diplomate impassible, il appela un valet et lui dit sèchement quand il arriva: – Ouvrez cette fenêtre!

A ces mots, une surprise insolite éclata sur tous les visages. L'assemblée se mit à chuchoter, en regardant le malade d'un air plus ou moins expressif, comme s'il eût commis quelque grave impertinence. Raphaël qui n'avait pas entièrement dépouillé sa primitive timidité de jeune homme, eut un mouvement de honte; mais il secoua sa torpeur, reprit son énergie et se demanda compte à lui-même de cette scène étrange. Soudain un rapide mouvement anima son cerveau; puis, par un rare privilège d'intuition, il lut dans toutes les âmes: en découvrant sous la lueur d'un flambeau le crâne jaune, le profil sardonique d'un vieillard, il se rappela de lui avoir gagné son argent sans lui avoir proposé de prendre sa revanche; plus loin il aperçut une jolie femme dont les agaceries l'avaient trouvé froid; chaque visage lui reprochait un de ces torts inexplicables en apparence, mais dont le crime gît toujours dans une invisible blessure faite à l'amour-propre. Il avait involontairement froissé toutes les petites vanités qui gravitaient autour de lui. En sondant ainsi les cœurs, il put en déchiffrer les pensées les plus secrètes; il eut horreur de la société, de sa politesse, de son vernis. Riche et d'un esprit supérieur, il était envié, haï; son silence trompait la curiosité, sa modestie semblait de la hauteur à ces gens mesquins et superficiels. Il devina le crime latent, irrémissible, dont il était coupable envers eux: il échappait à la juridiction de leur médiocrité. En ce moment, il eut un violent accès de toux. Loin de recueillir une seule de ces paroles indifférentes en apparence, mais qui du moins simulent une espèce de compassion polie chez les personnes de bonne compagnie rassemblées par hasard, il entendit des interjections hostiles et des plaintes murmurées à voix basse. La Société ne daignait même plus se grimer pour lui, parce qu'il la devinait peut-être. – Sa maladie est contagieuse. – Le président du Cercle devrait lui interdire l'entrée du salon. – En bonne police, il est vraiment défendu de tousser ainsi. – Quand un homme est aussi malade, il ne doit pas venir aux eaux. – Il me chassera d'ici.

Raphaël se leva pour se dérober à la malédiction générale, et se promena dans l'appartement. Il voulut trouver une protection, et revint près d'une jeune femme inoccupée à laquelle il médita d'adresser quelques flatteries; mais, à son approche, elle lui tourna le dos, et feignit de regarder les danseurs. Raphaël craignit d'avoir déjà pendant cette soirée usé de son talisman; il ne se sentit ni la volonté, ni le courage d'entamer la conversation, quitta le salon et se réfugia dans la salle de billard. Là, personne ne lui parla, ne le salua, ne lui jeta le plus léger regard de bienveillance. Ce petit monde obéissait, sans le savoir peut-être, à la grande loi qui régit la haute société, dont Raphaël acheva de comprendre la morale implacable. Un regard rétrograde lui en montra le type complet en Fœdora. Il ne devait pas rencontrer plus de sympathie pour ses maux chez celle-ci, que, pour ses misères de cœur, chez celle-là. Le monde abhorre les douleurs et les infortunes, il les redoute à l'égal des contagions, il n'hésite jamais entre elles et les vices : le vice est un luxe. Quelque majestueux que soit un malheur, la société sait l'amoindrir, le ridiculiser par une épigramme ; elle dessine des caricatures pour jeter à la tête des rois déchus les affronts qu'elle croit avoir reçus d'eux ; semblable aux jeunes Romaines du Cirque, elle ne fait jamais grâce au gladiateur qui tombe ; elle vit d'or et de moquerie ; Mort aux faibles ! est le vœu de cette espèce d'ordre équestre institué chez toutes les nations de la terre, car il s'élève partout des riches, et cette sentence est écrite au fond des cœurs pétris par l'opulence ou nourris par l'aristocratie. Quiconque souffre de corps ou d'âme, manque d'argent ou de pouvoir, est un Paria.

Ces réflexions sourdirent au cœur de Raphaël avec la promptitude d'une inspiration poétique ; il regarda autour de lui, et sentit ce froid sinistre que la société distille pour éloigner les misères, et qui saisit l'âme encore plus vivement que la bise de décembre ne glace le corps. Il se croisa les bras sur la poitrine, s'appuya le dos à la muraille, et tomba dans une mélancolie profonde. Il songeait au peu de bonheur que cette épouvantable police procure au monde. Qu'était-ce ? Des amusements sans plaisir, de la gaieté sans joie, des fêtes sans jouissance, du délire sans volupté, enfin le bois ou les cendres d'un foyer, mais sans une étincelle de flamme. Quand il releva la tête, il se vit seul, les joueurs avaient fui. – Pour leur faire adorer ma toux, il me suffirait de leur révéler mon pouvoir ! se dit-il. A cette pensée, il jeta le mépris comme un manteau entre le monde et lui.

Le lac du Bourget est une vaste coupe de montagnes tout ébréchée où brille, à sept ou huit cents pieds au-dessus de la Méditerranée, une goutte d'eau bleue comme ne l'est aucune eau dans le monde. Vu du haut de la Dent-du-Chat, ce lac est là comme une turquoise égarée. Cette jolie goutte d'eau a neuf lieues de contour, et dans certains endroits près de cinq cents pieds de profondeur. Ce lac est le seul où l'on puisse faire une confidence de cœur à cœur. On y pense et on y aime. En aucun endroit vous ne rencontreriez une plus belle entente entre l'eau, le ciel, les montagnes et la terre. Il s'y trouve des baumes pour toutes les crises de la vie. Ce lieu garde le secret des douleurs, il les console, les amoindrit, et jette dans l'amour je ne sais quoi de grave, de recueilli, qui rend la passion plus profonde, plus pure. Un baiser s'y agrandit. Mais c'est surtout le lac des souvenirs; il les favorise en leur donnant la teinte de ses ondes, miroir où tout vient se réfléchir. Raphaël ne supportait son fardeau qu'au milieu de ce beau paysage; il y pouvait rester indolent, songeur et sans désirs. Un frissonnement égal et cadencé de rames troubla le silence de ce paysage et lui prêta une voix monotone, semblable aux psalmodies des moines. Etonné de rencontrer des promeneurs dans cette partie du lac ordinairement solitaire, le marquis examina, sans sortir de sa rêverie, les personnes assises dans la barque, et reconnut à l'arrière la vieille dame qui l'avait si durement interpellé la veille. Quand le bateau passa devant Raphaël, il ne fut salué que par la demoiselle de compagnie de cette dame, pauvre fille noble qu'il lui semblait voir pour la première fois. Déjà, depuis quelques instants, il avait oublié les promeneurs, promptement disparus derrière le promontoir, lorsqu'il entendit près de lui le frôlement d'une robe et le bruit de pas légers. En se retournant, il aperçut la demoiselle de compagnie; à son air contraint, il devina qu'elle voulait lui parler, et s'avança vers elle. Agée d'environ trente-six ans, grande et mince, sèche et froide, elle était, comme toutes les vieilles filles, assez embarrassée de son regard, qui ne s'accordait plus avec une démarche indécise, gênée, sans élasticité.

– Monsieur, votre vie est en danger, ne venez plus au Cercle, dit-elle à Raphaël en faisant quelques pas en arrière, comme si déjà sa vertu se trouvait compromise.

– Mais, mademoiselle, répondit Valentin en souriant, de grâce expliquez-vous clairement, puisque vous avez daigné venir jusqu'ici.

– Ah! reprit-elle, sans le puissant motif qui m'amène, je n'aurais pas risqué d'encourir la disgrâce de madame la comtesse, car si elle savait jamais que je vous ai prévenu...

– Et qui le lui dirait, mademoiselle? s'écria Raphaël.

– C'est vrai, répondit la vieille fille en lui jetant le regard tremblotant d'une chouette mise au soleil. Mais pensez à vous, reprit-elle, plusieurs jeunes gens qui veulent vous chasser des eaux se sont promis de vous provoquer, de vous forcer à vous battre en duel.

La voix de la vieille dame retentit dans le lointain.

– Mademoiselle, dit le marquis, ma reconnaissance...

Sa protectrice s'était déjà sauvée en entendant la voix de sa maîtresse qui, derechef, glapissait dans les rochers.

Le duel était-il une fable, ou voulait-on seulement lui faire peur? Insolentes et tracassières comme des mouches, ces âmes étroites avaient réussi à piquer sa vanité, à réveiller son orgueil, à exciter sa curiosité. Ne voulant ni devenir leur dupe, ni passer pour un lâche, et amusé peut-être par ce petit drame, il vint au Cercle le soir même. Il se tint debout, accoudé sur le marbre de la cheminée, et resta tranquille au milieu du salon principal, en s'étudiant à ne donner aucune prise sur lui; mais il examinait les visages, et défiait en quelque sorte l'assemblée par sa circonspection. Comme un dogue sûr de sa force, il attendait le combat chez lui, sans aboyer inutilement. Vers la fin de la soirée, il se promena dans le salon de jeu, en allant de la porte d'entrée à celle du billard, où il jetait de temps à autre un coup d'œil aux jeunes gens qui y faisaient une partie. Après quelques tours, il s'entendit nommer par eux. Quoiqu'ils parlassent à voix basse, Raphaël devina facilement qu'il était devenu l'objet d'un débat, et finit par saisir quelques phrases dites à haute voix. – Toi? – Oui, moi! – Je t'en défie! – Parions! – Oh! il ira! Au moment où Valentin, curieux de connaître le sujet du pari, s'arrêta pour écouter attentivement la conversation, un jeune homme grand et fort, de bonne mine, mais ayant le regard fixe et impertinent des gens appuyés sur quelque pouvoir matériel, sortit du billard, et s'adressant à Raphaël:

– Monsieur, dit-il d'un ton calme, je me suis chargé de vous apprendre une chose que vous semblez ignorer: votre figure et votre personne déplaisent ici à tout le monde, et à moi en particulier; vous êtes trop poli pour ne pas vous sacrifier au bien général, et je vous prie de ne plus vous présenter au Cercle.

– Monsieur, cette plaisanterie, déjà faite sous l'Empire dans plusieurs garnisons, est devenue aujourd'hui de fort mauvais ton, répondit froidement Raphaël.

– Je ne plaisante pas, reprit le jeune homme, je vous le répète : Votre santé souffrirait beaucoup de votre séjour ici ; la chaleur, les lumières, l'air du salon, la compagnie nuisent à votre maladie.

– Où avez-vous étudié la médecine ? demanda Raphaël.

– Monsieur, j'ai été reçu bachelier au tir de Lepage à Paris et docteur chez Grisier, le roi du fleuret.

– Il vous reste un dernier grade à prendre, répliqua Valentin, étudiez le Code de la politesse, vous serez un parfait gentilhomme.

En ce moment, les jeunes gens, souriant ou silencieux, sortirent du billard. Les autres joueurs, devenus attentifs, quittèrent leurs cartes pour écouter une querelle qui réjouissait leurs passions. Seul au milieu de ce monde ennemi, Raphaël tâcha de conserver son sang-froid et de ne pas se donner le moindre tort ; mais son antagoniste s'étant permis un sarcasme où l'outrage s'enveloppait dans une forme éminemment incisive et spirituelle, il lui répondit gravement : – Monsieur, il n'est plus permis aujourd'hui de donner un soufflet à un homme, mais je ne sais de quel mot flétrir une conduite aussi lâche que la vôtre.

– Assez ! assez ! vous vous expliquerez demain, dirent plusieurs jeunes gens qui se jetèrent entre les deux champions.

Raphaël sortit du salon, passant pour l'offenseur, ayant accepté un rendez-vous près du château de Bordeau, dans une petite prairie en pente, non loin d'une route nouvellement percée par où le vainqueur pouvait gagner Lyon. Raphaël devait nécessairement ou garder le lit ou quitter les eaux d'Aix. La société triomphait. Le lendemain, sur les huit heures du matin, l'adversaire de Raphaël, suivi de deux témoins et d'un chirurgien, arriva le premier sur le terrain.

– Nous serons très bien ici, et il fait un temps superbe pour se battre, s'écria-t-il gaiement en regardant la voûte bleue du ciel, les eaux du lac et les rochers sans la moindre arrière-pensée de doute ni de deuil. Si je le touche à l'épaule, dit-il en continuant, le mettrai-je bien au lit pour un mois, hein! docteur?

– Au moins, répondit le chirurgien. Mais laissez ce petit saule tranquille; autrement vous vous fatigueriez la main, et ne seriez plus maître de votre coup. Vous pourriez tuer votre homme au lieu de le blesser.

Le bruit d'une voiture se fit entendre.

– Le voici, dirent les témoins qui bientôt aperçurent sur la route une calèche de voyage attelée de quatre chevaux et menée par deux postillons.

– Quel singulier genre! s'écria l'adversaire de Valentin, il vient se faire tuer en poste.

A un duel comme au jeu, les plus légers incidents influent sur l'imagination des acteurs fortement intéressés au succès d'un coup; aussi le jeune homme attendit-il avec une sorte d'inquiétude l'arrivée de cette voiture qui resta sur la route. Le vieux Jonathas en descendit lourdement le premier pour aider Raphaël à sortir; il le soutint de ses bras débiles, en déployant pour lui les soins minutieux qu'un amant prodigue à sa maîtresse. Tous deux se perdirent dans les sentiers qui séparaient la grande route de l'endroit désigné pour le combat, et ne reparurent que longtemps après: ils allaient lentement. Les quatre spectateurs de cette scène singulière éprouvèrent une émotion profonde à l'aspect de Valentin appuyé sur le bras de son serviteur : pâle et défait, il marchait en goutteux, baissait la tête et ne disait mot. Vous eussiez dit de deux vieillards également détruits, l'un par le temps, l'autre par la pensée ; le premier avait son âge écrit sur ses cheveux blancs, le jeune n'avait plus d'âge.

– Monsieur, je n'ai pas dormi, dit Raphaël à son adversaire.

Cette parole glaciale et le regard terrible qui l'accompagna firent tressaillir le véritable provocateur, il eut la conscience de son tort et une honte secrète de sa conduite. Il y avait dans l'attitude, dans le son de sa voix et le geste de Raphaël quelque chose d'étrange. Le marquis fit une pause, et chacun imita son silence. L'inquiétude et l'attention étaient au comble.

– Il est encore temps, reprit-il, de me donner une légère satisfaction ; mais donnez-la moi, monsieur, sinon vous allez mourir. Vous comptez encore en ce moment sur votre habileté, sans reculer à l'idée d'un combat où vous croyez avoir tout l'avantage. Eh ! bien, monsieur, je suis généreux, je vous préviens de ma supériorité. Je possède une terrible puissance. Pour anéantir votre adresse, pour voiler vos regards, faire trembler vos mains et palpiter votre cœur, pour vous tuer même, il me suffit de le désirer. Je ne veux pas être obligé d'exercer mon pouvoir, il me coûte trop cher d'en user. Vous ne serez pas le seul à mourir. Si donc vous vous refusez à me présenter des excuses, votre balle ira dans l'eau de cette cascade malgré votre habitude de l'assassinat, et la mienne droit à votre cœur sans que je le vise.

En ce moment des voix confuses interrompirent Raphaël. En prononçant ces paroles, le marquis avait constamment dirigé sur son adversaire l'insupportable clarté de son regard fixe, il s'était redressé en montrant un visage impassible, semblable à celui d'un fou méchant.

– Fais-le taire, avait dit le jeune homme à son témoin, sa voix me tord les entrailles!

– Monsieur, cessez. Vos discours sont inutiles, crièrent à Raphaël le chirurgien et les témoins.

– Messieurs, je remplis un devoir. Ce jeune homme a-t-il des dispositions à prendre?

– Assez, assez!

Les deux adversaires furent placés à quinze pas l'un de l'autre. Ils avaient chacun près d'eux une paire de pistolets, et, suivant le programme de cette cérémonie, ils devaient tirer deux coups à volonté, mais après le signal donné par les témoins.

– Que fais-tu, Charles, cria le jeune homme qui servait de second à l'adversaire de Raphaël, tu prends la balle avant la poudre.

– Je suis mort, répondit-il en murmurant, vous m'avez mis en face du soleil.

– Il est derrière vous, lui dit Valentin d'une voix grave et solennelle en chargeant son pistolet lentement sans s'inquiéter ni du signal déjà donné, ni du soin avec lequel l'ajustait son adversaire.

Cette sécurité surnaturelle avait quelque chose de terrible qui saisit même les deux postillons amenés là par une curiosité cruelle. Jouant avec son pouvoir, ou voulant l'éprouver, Raphaël parlait à Jonathas et le regardait au moment où il essuya le feu de son ennemi. La balle de Charles alla briser une branche de saule, et ricocha sur l'eau. En tirant au hasard, Raphaël atteignit son adversaire au cœur, et, sans faire attention à la chute de ce jeune homme, il chercha promptement la Peau de chagrin pour voir ce que lui coûtait une vie humaine. Le talisman n'était plus grand que comme une petite feuille de chêne.

– Eh! bien, que regardez-vous donc là, postillons? En route, dit le marquis.

Arrivé le soir même en France, il prit aussitôt la route d'Auvergne, et se rendit aux eaux du Mont-Dore. Pendant ce voyage, il lui surgit au cœur une de ces pensées soudaines qui tombent dans notre âme comme un rayon de soleil à travers d'épais nuages sur quelque obscure vallée. Tristes lueurs, sagesses implacables! Elles illuminent les événements accomplis, nous dévoilent nos fautes et nous laissent sans pardon devant nous-mêmes. Il pensa tout à coup que la possession du pouvoir, quelque immense qu'il pût être, ne donnait pas la science de s'en servir. Le sceptre est un jouet pour un enfant, une hache pour Richelieu, et pour Napoléon un levier à faire pencher le monde. Le pouvoir nous laisse tels que nous sommes et ne grandit que les grands. Raphaël avait pu tout faire, il n'avait rien fait.

Aux eaux du Mont-Dore, il retrouva ce monde qui toujours s'éloignait de lui avec l'empressement que les animaux mettent à fuir un des leurs, étendu mort, après l'avoir flairé de loin. Cette haine était réciproque. Sa dernière aventure lui avait donné une aversion profonde pour la société. Aussi son premier soin fut-il de chercher un asile écarté aux environs des eaux. Il sentait instinctivement le besoin de se rapprocher de la nature, des émotions vraies et de cette vie végétative à laquelle nous nous laissons si complaisamment aller au milieu des champs. Le lendemain de son arrivée, il gravit, non sans peine, le pic de Sancy, et visita les vallées supérieures, les sites aériens, les lacs ignorés. A peu près à une demi-lieue du village, Raphaël se trouva dans un endroit où la nature semblait avoir pris plaisir à cacher des trésors; en voyant cette retraite pittoresque et naïve, il résolut d'y vivre. La vie devait y être tranquille, spontanée, frugiforme comme celle d'une plante.

Figurez-vous un cône renversé, mais un cône de granit largement évasé, espèce de cuvette dont les bords étaient morcelés par des anfractuosités bizarres : ici des tables droites sans végétation, unies, bleuâtres, et sur lesquelles les rayons solaires glissaient comme sur un miroir; là des rochers entamés par des cassures, ridés par des ravins, d'où pendaient des quartiers de lave dont la chute était lentement préparée par les eaux pluviales, et souvent couronnés de quelques arbres rabougris que torturaient les vents; puis çà et là, des redans obscurs et frais d'où s'élevait un bouquet de châtaigniers hauts comme des cèdres, ou des grottes jaunâtres qui ouvraient une bouche noire et profonde, palissée de ronces, de fleurs, et garnie d'une langue de verdure. Au fond de cette coupe, peut-être l'ancien cratère d'un volcan, se trouvait un étang dont l'eau pure avait l'éclat du diamant. Autour de ce bassin profond, bordé de granit, de saules, de glaïeuls, de frênes, et de mille plantes aromatiques alors en fleurs, régnait une prairie verte comme un boulingrin anglais ; son herbe fine et jolie était arrosée par des infiltrations qui ruisselaient entre les fentes des rochers, et engraissée par les dépouilles végétales que les orages entraînaient sans cesse des hautes cimes vers le fond. Lorsque Raphaël y parvint, il aperçut quelques vaches paissant dans la prairie ; après avoir fait quelques pas vers l'étang, il vit, à l'endroit où le terrain avait le plus de largeur, une modeste maison bâtie en granit et couverte en bois. Le toit de cette espèce de chaumière, en harmonie avec le site, était orné de mousses, de lierres et de fleurs qui trahissaient une haute antiquité. Une fumée grêle, dont les oiseaux ne s'effrayaient plus, s'échappait de la cheminée en ruine. A la porte, un grand banc était placé entre deux chèvrefeuilles énormes, rouges de fleurs et qui embaumaient. A peine voyait-on les murs sous les pampres de la vigne et sous les guirlandes de roses et de jasmin qui croissaient à l'aventure et sans gêne. Insouciants de cette parure champêtre, les habitants n'en avaient nul soin, et laissaient à la nature sa grâce vierge et lutine. Le monde paraissait finir là. Le silence majestueux qui régnait dans ce bocage, oublié peut-être sur les rôles du percepteur, fut interrompu tout à coup par les aboiements de deux chiens. Les vaches tournèrent la tête vers l'entrée du vallon, montrèrent à Raphaël leurs mufles humides, et se mirent à brouter après l'avoir stupidement contemplé. Suspendus dans les rochers comme par magie, une chèvre et son chevreau cabriolèrent et vinrent se poser sur une table de granit près de Raphaël, en paraissant l'interroger. Les jappements des chiens attirèrent au dehors un gros enfant qui resta béant, puis un vieillard en cheveux blancs et de moyenne taille. Ces deux êtres étaient en rapport avec le paysage, avec l'air, les fleurs, la maison. La santé débordait dans cette nature plantureuse, la vieillesse et l'enfance y étaient belles ; enfin il y avait dans tous ces types d'existence un laisser-aller primordial, une routine de bonheur qui donnait un démenti à nos capucinades philosophiques, et guérissait le cœur de ses passions boursouflées. Bientôt une femme âgée d'environ trente ans apparut sur le seuil de la porte. Elle filait en marchant. C'était une Auvergnate, haute en couleur, l'air réjoui, franche, à dents blanches ; une idéalisation complète du pays, mœurs laborieuses, ignorance, économie, cordialité, tout y était.

Elle salua Raphaël, ils entrèrent en conversation ; les chiens s'apaisèrent, le vieillard s'assit sur un banc au soleil, et l'enfant suivit sa mère partout où elle alla, silencieux, mais écoutant, examinant l'étranger.

– Vous n'avez pas peur ici, ma bonne femme ?

– Et d'où que nous aurions peur, monsieur ? Quand nous barrons l'entrée, qui donc pourrait venir ici ? Oh ! nous n'avons point peur ! D'ailleurs, dit-elle en faisant entrer le marquis dans la grande chambre de la maison, qu'est-ce que les voleurs viendraient donc prendre chez nous ?

Elle montrait des murs noircis par la fumée, sur lesquels étaient pour tout ornement ces images enluminées de bleu, de rouge et de vert, qui représentent la Mort de Crédit, la Passion de Jésus-Christ et les Grenadiers de la Garde impériale ; puis, çà et là, dans la chambre, un vieux lit de noyer à colonnes, une table à pieds tordus, des escabeaux, la huche au pain, du lard pendu au plancher, du sel dans un pot, une poêle ; et sur la cheminée, des plâtres jaunis et colorés. En sortant de la maison, Raphaël aperçut, au milieu des rochers, un homme qui tenait une houe à la main, et qui penché, curieux, regardait la maison.

– Monsieur, c'est l'homme, dit l'Auvergnate, en laissant échapper ce sourire familier aux paysannes; il laboure là-haut.

– Et ce vieillard est votre père?

– Faites excuse, monsieur, c'est le grand-père de notre homme. Tel que vous le voyez, il a cent deux ans. Eh! ben, dernièrement il a mené, à pied, notre petit gars à Clermont! Ç'a été un homme fort; maintenant, il ne fait plus que dormir, boire et manger. Il s'amuse toujours avec le petit gars. Quelquefois le petit l'emmène dans les hauts, il y va tout de même.

Aussitôt Valentin se résolut à vivre entre ce vieillard et cet enfant, à respirer dans leur atmosphère, à manger de leur pain, à boire de leur eau, à dormir de leur sommeil, à se faire de leur sang dans les veines. Raphaël vécut pendant plusieurs jours, sans soins, sans désirs, éprouvant un mieux sensible, un bien-être extraordinaire, qui calma ses inquiétudes, apaisa ses souffrances. Il gravissait les rochers, et allait s'asseoir sur un pic d'où ses yeux embrassaient quelque paysage d'immense étendue. Là, il restait des journées entières comme une plante au soleil, comme un lièvre au gîte. Ou bien, se familiarisant avec des phénomènes de la végétation, avec les vicissitudes du ciel, il épiait le progrès de toutes les œuvres, sur la terre, dans les eaux ou dans l'air. Il tenta de s'associer au mouvement intime de cette nature, et de s'identifier assez complètement à sa passive obéissance, pour tomber sous la loi despotique et conservatrice qui régit les existences instinctives. Il ne voulait plus être chargé de lui-même. Pour lui, les formes infinies de tous les règnes étaient les développements d'une même substance, les combinaisons d'un même mouvement, vaste respiration d'un être immense qui agissait, pensait, marchait, grandissait, et avec lequel il voulait grandir, marcher, penser, agir. Il avait fantastiquement mêlé sa vie à la vie de ce rocher, il s'y était implanté. Grâce à ce mystérieux illuminisme, convalescence factice, semblable à ces bienfaisants délires accordés par la nature comme autant de haltes dans la douleur, Valentin goûta les plaisirs d'une seconde enfance durant les premiers moments de son séjour au milieu de ce riant paysage. Il y allait dénichant des riens, entreprenant mille choses sans en achever aucune, oubliant le lendemain les projets de la veille, insouciant; il fut heureux, il se crut sauvé. Un matin, il était resté par hasard au lit jusqu'à midi, plongé dans cette rêverie mêlée de veille et de sommeil, qui prête aux réalités les apparences de la fantaisie et donne aux chimères le relief de l'existence, quand tout à coup, sans savoir d'abord s'il ne continuait pas un rêve, il entendit, pour la première fois, le bulletin de sa santé donné par son hôtesse à Jonathas, venu, comme chaque jour, le lui demander. L'Auvergnate croyait sans doute Valentin encore endormi, et n'avait pas baissé le diapason de sa voix montagnarde.

— Ça ne va pas mieux, ça ne va pas pis, disait-elle. Il a encore toussé pendant toute cette nuit à rendre l'âme. Il tousse, il crache, ce cher monsieur, que c'est une pitié. Je me demandons, moi et mon homme, où il prend la force de tousser comme ça. Ça fend le cœur. Quelle damnée maladie qu'il a! C'est qu'il n'est point bien du tout! J'avons toujours peur de le trouver crevé dans son lit, un matin. Il est vraiment pâle comme un Jésus de cire! Dame, il se consume à courir comme s'il avait de la santé à vendre. Il a bien du courage tout de même de ne pas se plaindre. Mais, vraiment il serait mieux en terre qu'en pré, car il souffre la passion de Dieu! Je ne le désirons pas, monsieur, ce n'est point notre intérêt. Mais il ne nous donnerait pas ce qu'il nous donne que je l'aimerions tout de même: ce n'est point l'intérêt qui nous pousse. Ah! mon Dieu! reprit-elle, il n'y a que les Parisiens pour avoir de ces chiennes de maladies-là! Où qui prennent ça, donc? Pauvre jeune homme, il est sûr qu'il ne peut guère ben finir.

La voix de Raphaël était devenue trop faible pour qu'il pût se faire entendre, il fut donc obligé de subir cet épouvantable bavardage. Cependant l'impatience le chassa de son lit, il se montra sur le seuil de la porte:

– Vieux scélérat, cria-t-il à Jonathas, tu veux donc être mon bourreau? La paysanne crut voir un spectre et s'enfuit.

– Je te défends, dit Raphaël en continuant, d'avoir la moindre inquiétude sur ma santé.

– Oui, monsieur le marquis, répondit le vieux serviteur en essuyant ses larmes.

– Et tu feras même fort bien, dorénavant, de ne pas venir ici, sans mon ordre.

Jonathas voulut obéir; mais, avant de se retirer, il jeta sur le marquis un regard fidèle et compatissant où Raphaël lut son arrêt de mort. Découragé, rendu tout à coup au sentiment vrai de sa situation, Valentin s'assit sur le seuil de la porte, se croisa les bras sur la poitrine et baissa la tête. Jonathas, effrayé, s'approcha de son maître.

– Monsieur?

– Va-t'en! va-t'en! lui cria le malade.

Le sentiment que l'homme supporte le plus difficilement est la pitié, surtout quand il la mérite. La haine est un tonique, elle fait vivre, elle inspire la vengeance; mais la pitié tue, elle affaiblit encore notre faiblesse. C'est le mal devenu patelin, c'est le mépris dans la tendresse, ou la tendresse dans l'offense. Le terrible: Frère, il faut mourir, des trappistes, semblait constamment écrit dans les yeux des paysans avec lesquels vivait Raphaël; il ne savait ce qu'il craignait le plus de leurs paroles naïves ou de leur silence; tout en eux le gênait. Un matin, il vit deux hommes vêtus de noir qui rôdèrent autour de lui, le flairèrent, et l'étudièrent à la dérobée; puis, feignant d'être venus là pour se promener, ils lui adressèrent des questions banales auxquelles il répondit brièvement. Il reconnut en eux le médecin et le curé des eaux, sans doute envoyés par Jonathas, consultés par ses hôtes ou attirés par l'odeur d'une mort prochaine. Il entrevit alors son propre convoi, il entendit le chant des prêtres, il compta les cierges, et ne vit plus qu'à travers un crêpe les beautés de cette riche nature, au sein de laquelle il croyait avoir rencontré la vie. Tout ce qui naguère lui annonçait une longue existence lui prophétisait maintenant une fin prochaine. Le lendemain, il partit pour Paris, après avoir été abreuvé des souhaits mélancoliques et cordialement plaintifs que ses hôtes lui adressèrent.

Après avoir voyagé durant toute la nuit, il s'éveilla dans l'une des plus riantes vallées du Bourbonnais, dont les sites et les points de vue tourbillonnaient devant lui, rapidement emportés comme les images vaporeuses d'un songe. La nature s'étalait à ses yeux avec une cruelle coquetterie. Tantôt l'Allier déroulait sur une riche perspective son ruban liquide et brillant, puis des hameaux modestement cachés au fond d'une gorge de rochers jaunâtres montraient la pointe de leurs clochers; tantôt les moulins d'un petit vallon se découvraient soudain après des vignobles monotones, et toujours apparaissaient de riants châteaux, des villages suspendus, ou quelques routes bordées de peupliers majestueux; enfin la Loire et ses longues nappes diamantées reluisirent au milieu de ses sables dorés. Séductions sans fin! La nature agitée, vivace comme un enfant, contenant à peine l'amour et la sève du mois de juin, attirait fatalement les regards éteints du malade. Il leva les persiennes de sa voiture, et se remit à dormir.

Le lendemain il se trouva chez lui, dans sa chambre, au coin de sa cheminée. Il s'était fait allumer un grand feu, il avait froid. Jonathas lui apporta des lettres, elles étaient toutes de Pauline. Il ouvrit la première sans empressement, et la déplia comme si c'eût été le papier grisâtre d'une sommation sans frais, envoyée par le percepteur. Il lut la première phrase: «Parti, mais c'est une fuite, mon Raphaël. Comment! personne ne peut me dire où tu es? Et si je ne le sais pas, qui donc le saurait?» Sans vouloir en apprendre davantage, il prit froidement les lettres et les jeta dans le foyer en regardant d'un œil terne et sans chaleur les jeux de la flamme qui tordait le papier parfumé, le racornissait, le retournait, le morcelait.

«...Assise à ta porte... attendu... Caprice... j'obéis... Des rivales... moi, non!... ta Pauline... aime... plus de Pauline donc?... Si tu avais voulu me quitter, tu ne m'aurais pas abandonnée... Amour éternel... Mourir...»

Ces mots lui donnèrent une sorte de remords : il saisit les pincettes et sauva des flammes un dernier lambeau de lettre.

«...J'ai murmuré, disait Pauline, mais je ne me suis pas plainte, Raphaël? En me laissant loin de toi, tu as sans doute voulu me dérober le poids de quelques chagrins. Un jour, tu me tueras peut-être, mais tu es trop bon pour me faire souffrir. Eh! bien, ne pars plus ainsi. Va, je puis affronter les plus grands supplices, mais près de toi. Le chagrin que tu m'imposerais ne serait plus un chagrin : j'ai dans le cœur encore bien plus d'amour que je ne t'en ai montré. Je puis tout supporter, hors de pleurer loin de toi, et de ne pas savoir ce que tu...»

Raphaël posa sur la cheminée ce débris de lettre noirci par le feu, il le rejeta tout à coup dans le foyer. Ce papier était une image trop vive de son amour et de sa fatale vie.

– Va chercher monsieur Bianchon, dit-il à Jonathas.

Horace vint et trouva Raphaël au lit.

– Mon ami, peux-tu me composer une boisson légèrement opiacée qui m'entretienne dans une somnolence continuelle, sans que l'emploi constant de ce breuvage me fasse mal?

– Rien n'est plus aisé, répondit le jeune docteur; mais il faudra cependant rester debout quelques heures de la journée, pour manger.

– Quelques heures, dit Raphaël en l'interrompant, non, non, je ne veux être levé que durant une heure au plus.

– Quel est donc ton dessein? demanda Bianchon.

– Dormir, c'est encore vivre, répondit le malade.

– Ne laisse entrer personne, fût-ce même mademoiselle Pauline de Vitschnau, dit Valentin à Jonathas pendant que le médecin écrivait son ordonnance.

– Hé! bien, monsieur Horace, y a-t-il de la ressource? demanda le vieux domestique au jeune docteur qu'il avait reconduit jusqu'au perron.

– Il peut aller encore longtemps, ou mourir ce soir. Chez lui, les chances de vie et de mort sont égales. Je n'y comprends rien, répondit le médecin en laissant échapper un geste de doute.

Raphaël demeura pendant quelques jours plongé dans le néant de son sommeil factice. Grâce à la puissance matérielle exercée par l'opium sur notre âme immatérielle, cet homme d'imagination si puissamment active s'abaissa jusqu'à la hauteur de ces animaux paresseux qui croupissent au sein des forêts, sous la forme d'une dépouille végétale, sans faire un pas pour saisir une proie facile. Il avait même éteint la lumière du ciel, le jour n'entrait plus chez lui. Vers les huit heures du soir, il sortait de son lit: sans avoir une conscience lucide de son existence, il satisfaisait sa faim, puis se recouchait aussitôt. Ses heures froides et ridées ne lui apportaient que de confuses images, des apparences, des clairs-obscurs sur un fond noir. Il s'était enseveli dans un profond silence, dans une négation de mouvement et d'intelligence. Un soir, il se réveilla beaucoup plus tard que de coutume, et ne trouva pas son dîner servi. Il sonna Jonathas.

– Monstre, tu as donc juré de me faire mourir? s'écria-t-il. Puis, tout palpitant du danger qu'il venait de courir, il but une forte dose de sommeil, et se coucha.

Il était environ minuit. A cette heure, Raphaël, par un de ces caprices physiologiques, l'étonnement et le désespoir des sciences médicales, resplendissait de beauté pendant son sommeil. Un rose vif colorait ses joues blanches. Son front gracieux comme celui d'une jeune fille exprimait le génie. La vie était en fleurs sur ce visage tranquille et reposé. Vous eussiez dit d'un jeune enfant endormi sous la protection de sa mère. Son sommeil était un bon sommeil, sa bouche vermeille laissait passer un souffle égal et pur, il souriait transporté sans doute par un rêve dans une belle vie.

– Te voilà donc!

Ces mots, prononcés d'une voix argentine, dissipèrent les figures nuageuses de son sommeil. A la lueur de la lampe, il vit assise sur son lit sa Pauline, mais Pauline embellie par l'absence et par la douleur. Raphaël resta stupéfait à l'aspect de cette figure blanche comme les pétales d'une fleur des eaux, et qui, accompagnée de longs cheveux noirs, semblait encore plus noire dans l'ombre. Des larmes avaient tracé leur route brillante sur ses joues, et y restaient suspendues, prêtes à tomber au moindre effort. Vêtue de blanc, la tête penchée et foulant à peine le lit, elle était là comme un ange descendu des cieux, comme une apparition qu'un souffle pouvait faire disparaître.

– Ah! j'ai tout oublié, s'écria-t-elle au moment où

Raphaël ouvrit les yeux. Je n'ai de voix que pour te dire : Je suis à toi ! Oui, mon cœur est tout amour. Ah ! jamais, ange de ma vie, tu n'as été si beau. Tes yeux foudroient. Mais je devine tout, va ! Tu as été chercher la santé sans moi, tu me craignais... Eh ! bien.

– Fuis, fuis, laisse-moi, répondit enfin Raphaël d'une voix sourde. Mais va-t'en donc. Si tu restes-là, je meurs. Veux-tu me voir mourir ?

– Mourir ! répéta-t-elle. Est-ce que tu peux mourir sans moi. Mourir, mais tu es jeune ! Mourir, mais je t'aime ! Mourir ! ajouta-t-elle d'une voix profonde et gutturale en lui prenant les mains par un mouvement de folie.

– Froides, dit-elle. Est-ce une illusion ?

Raphaël tira de dessous son chevet le lambeau de la Peau de chagrin, fragile et petit comme la feuille d'une pervenche, et le lui montrant :

– Pauline, belle image de ma belle vie, disons-nous adieu, dit-il.

– Adieu ? répéta-t-elle d'un air surpris.

– Oui. Ceci est un talisman qui accomplit mes désirs, et représente ma vie. Vois ce qu'il m'en reste. Si tu me regardes encore, je vais mourir...

La jeune fille crut Valentin devenu fou, elle prit le talisman, et alla chercher la lampe. Eclairée par la lueur vacillante qui se projetait également sur Raphaël et sur le talisman, elle examina très attentivement et le visage de son amant et la dernière parcelle de la Peau magique. En la voyant belle de terreur et d'amour, il ne fut plus maître de sa pensée : les souvenirs des scènes caressantes et des joies délirantes de sa passion triomphèrent dans son âme depuis longtemps endormie, et s'y réveillèrent comme un foyer mal éteint.

– Pauline, viens! Pauline!

Un cri terrible sortit du gosier de la jeune fille, ses yeux se dilatèrent, ses sourcils violemment tirés par une douleur inouïe, s'écartèrent avec horreur, elle lisait dans les yeux de Raphaël un de ces désirs furieux, jadis sa gloire à elle; mais à mesure que grandissait ce désir, la Peau, en se contractant, lui chatouillait la main. Sans réfléchir, elle s'enfuit dans le salon voisin dont elle ferma la porte.

– Pauline! Pauline! cria le moribond en courant après elle, je t'aime, je t'adore, je te veux! Je te maudis, si tu ne m'ouvres! Je veux mourir à toi!

Par une force singulière, dernier éclat de la vie, il jeta la porte à terre, et vit sa maîtresse à demi nue se roulant sur un canapé. Pauline avait vainement tenté de se déchirer le sein, et pour se donner une prompte mort, elle cherchait à s'étrangler avec son châle. – «Si je meurs, il vivra!» disait-elle en tâchant vainement de serrer le nœud. Ses cheveux étaient épars, ses épaules nues, ses vêtements en désordre, et dans cette lutte avec la mort, les yeux en pleurs, le visage enflammé, se tordant sous un horrible désespoir, elle présentait à Raphaël, ivre d'amour, mille beautés qui augmentèrent son délire; il se jeta sur elle, brisa le châle, et voulut la prendre dans ses bras.

Le moribond chercha des paroles pour exprimer le désir qui dévorait toutes ses forces; mais il ne trouva que les sons étranglés du râle dans sa poitrine, dont chaque respiration creusée plus avant, semblait partir de ses entrailles. Enfin, ne pouvant plus former de sons, il mordit Pauline au sein. Jonathas se présenta tout épouvanté des cris qu'il entendait, et tenta d'arracher à la jeune fille le cadavre sur lequel elle s'était accroupie dans un coin.

– Que demandez-vous! dit-elle. Il est à moi, je l'ai tué, ne l'avais-je pas prédit!

Epilogue

Et que devint Pauline?

– Ah! Pauline, bien. Etes-vous quelquefois resté par une douce soirée d'hiver devant votre foyer domestique, voluptueusement livré à des souvenirs d'amour ou de jeunesse en contemplant les rayures produites par le feu sur un morceau de chêne? Ici la combustion dessine les cases rouges d'un damier, là elle miroite des velours; de petites flammes bleues courent, bondissent et jouent sur le fond ardent du brasier. Vient un peintre inconnu qui se sert de cette flamme; par un artifice unique, il trace au sein de ces flamboyantes teintes violettes ou empourprées une figure supernaturelle et d'une délicatesse inouïe, phénomène fugitif que le hasard ne recommencera jamais: c'est une femme aux cheveux emportés par le vent, et dont le profil respire une passion délicieuse: du feu dans le feu!

– Mais Pauline?

– Vous n'y êtes pas? Je recommence. Place! place! elle arrive, la voici la reine des illusions, la femme qui passe comme un baiser, la femme vive comme un éclair, comme lui jaillie brûlante du ciel, l'être incréé, tout esprit, tout amour. Elle a revêtu je ne sais quel corps de flamme, ou pour elle la flamme s'est un moment animée! Les lignes de ses formes sont d'une pureté qui vous dit qu'elle vient du ciel. Ne resplendit-elle pas comme un ange? N'entendez-vous pas le frémissement aérien de ses ailes? O bonheur sans nom! vous avez touché les lèvres de cette femme; mais tout à coup une atroce douleur vous réveille. Ha! ha! votre tête a porté sur l'angle de votre lit, vous en avez embrassé l'acajou brun, les dorures froides, quelque bronze, un amour en cuivre.

– Mais, monsieur, Pauline!

– Encore! écoutez. Par une belle matinée, en partant de Tours, un jeune homme embarqué sur la *Ville d'Angers* tenait dans sa main la main d'une jolie femme. Unis ainsi, tous deux admirèrent longtemps, au-dessus des larges eaux de la Loire, une blanche figure, artificiellement éclose au sein du brouillard comme un fruit des eaux et du soleil, ou comme un caprice des nuées et de l'air. Tour à tour ondine ou sylphide, cette fine créature voltigeait dans les airs comme un mot vainement cherché qui court dans la mémoire sans se laisser saisir; elle se promenait entre les îles, elle agitait sa tête à travers les hauts peupliers; puis devenue gigantesque elle faisait ou resplendir les mille plis de sa robe, ou briller l'auréole décrite par le soleil autour de son visage; elle planait sur les hameaux, sur les collines, et semblait défendre au bateau à vapeur de passer devant le château d'Ussé. Vous eussiez dit le fantôme de la Dame des belles Cousines qui voulait protéger son pays contre les invasions modernes.

– Bien, je comprends, ainsi de Pauline. Mais Fœdora?

– Oh! Fœœdora, vous la rencontrerez. Elle était hier aux Bouffons, elle ira ce soir à l'Opéra, elle est partout, c'est, si vous voulez, la Société.

Paris, 1830-1831

l'école des loisirs

Les classiques abrégés
à partir de 10 ans

Walter Scott
Ivanhoé
*Le roman qui a créé notre moyen âge,
celui des chevaliers, du goût de l'indépendance
et du risque.*

Daniel Defoë
Robinson Crusoë
*Un homme abandonné sur une île sauvage.
La lutte pour la vie à l'état pur.*

Jonathan Swift
Gulliver, voyage à Lilliput
*Le voyage de Gulliver dans un monde hors proportions,
ici au pays du tout petit.*

Jules Verne
Vingt mille lieues sous les mers
*Le grand livre de l'imagination,
prédisant le monde qui nous entoure.*

Edmond About
L'homme à l'oreille cassée
*C'est un vieux rêve,
conserver un homme en le desséchant...*

Edmond About
Le roi des montagnes
*Un roman d'amour aussi bien
qu'un roman d'aventures*

l'école des loisirs

Les classiques abrégés
à partir de 10 ans

Théophile Gautier
Le roman de la momie
Les amours de Tahoser,
égyptienne de l'époque de Moïse

Johann-Wolfgang Gœthe
Goupil le renard
Le roman de renard raconté par le grand
poète allemand Gœthe.

Walter Scott
Quentin Durward
Le roi Louis XI recueille une riche héritière de Bourgogne,
Isabelle de Croye qui a fui la cour de Charles le Téméraire
pour éviter un mariage.
Louis XI veut livrer Isabelle à son allié La Marck,
le féroce sanglier des Ardennes.

Mark Twain
A la dure
Un reportage passionnant...
un western rocambolesque.

Prosper Mérimée
Chronique du règne de Charles IX
Malgré la fin tragique de ce roman historique,
Mérimée fait ressortir que l'amour peut sauver,
alors que les fanatismes déchirent
et détruisent.

Gabriel Ferry
Le coureur des bois 1
Le coureur des bois 2
Les aventures d'un chasseur de pelleteries
dans les forêts et prairies mexicaines,
et la suite des aventures dans le Val d'or
contre L'Oiseau-Noir, chef d'une tribu
des Apaches.

l'école des loisirs

Les classiques abrégés
à partir de 10 ans

Victor Hugo
Quatre-vingt-treize
La guerre fratricide de la Vendée contre Paris
fournit la toile de fond. La tempête déchaînée
par les hommes balaie tout. Mais les hommes restent
fidèles à eux-mêmes.

James Fenimore Cooper
Le corsaire rouge
Illustré par Bertall
Les pirates des temps légendaires
de la flibuste se trouvent immortalisés
dans la figure du corsaire rouge.

Jules Verne
Voyage au centre de la terre
Illustrations de Edouard Riou
Le professeur Lidenbrock, son neveu et
le fidèle Hans s'engouffrent dans un volcan islandais,
début d'une descente aux entrailles
de notre terre.